P9-CDN-930

Vicente Blasco
Ibañez

SIETE CUENTOS

DE

VICENTE BLASCO IBÁÑEZ

*EDITED WITH INTRODUCTION, NOTES
AND VOCABULARY*

BY

STURGIS E. LEAVITT, Ph.D.

PROFESSOR OF SPANISH
UNIVERSITY OF NORTH CAROLINA

NEW YORK
HENRY HOLT AND COMPANY

PREFACE

THE short stories of Blasco Ibáñez presented in this volume are suitable for reading in intermediate and advanced classes in Spanish. As they represent different phases of the work of this popular author — humor, tragedy and pathos — the element of variety will be found an added interest.

A few slight changes have been made in the text but none that would detract from the narrative. In the vocabulary, idiomatic constructions are listed under the important word in the particular expression. Phrases used in a special sense are explained in the notes.

The editor is indebted to the author for permission to use the selections included in this volume, and to Professor Albert A. Shapiro and Mr. W. A. Pickens for valuable assistance on many occasions.

S. E. L.

CONTENTS

INTRODUCTION

VERY few books have met with such popularity as that accorded *The Four Horsemen of the Apocalypse* after its appearance in an English translation in 1918. Thousands upon thousands of copies were sold and soon the novel leaped to fame as one of the "best sellers" of the year. Not long after, the splendidly executed film version added to this renown and extended the story far and wide to multitudes who had never seen the printed pages of the great war novel. But the life of films is short and even the "best sellers" have their day. With the advent of post-war pessimism the taste for war books changed and Blasco's remarkable panorama gave way to other stories which succeeded in momentarily arresting the attention of the American public.

Blasco Ibáñez was known in the United States before the publication of *The Four Horsemen*, though his work was appreciated by relatively few individuals. The first American to call attention to this virile Spanish writer was H. F. Keenan, who published in 1902 (*The Era*) a brief review of *La Barraca*, which had been translated into French the year before. In this article the reviewer analyses the plot with rare understanding and concludes by saying that "now that we are a colonial power with Spanish 'subjects,' it is fitting that authors like Blasco Ibáñez should be as familiar, at least among the lettered, as the Russian philosophic novelists whose genius takes no higher or more sustained flight than the modest masterpiece of Ibáñez." In March, 1908, Havelock Ellis, in *The Soul of Spain*, characterized Blasco as "the most remarkable novelist of the younger generation," and in December of the same year Professor Keniston gave to the American public a sketch of his life and an extensive survey of his work. In 1915 William Dean Howells further introduced this author in a highly eulogistic article in which he stated that "no living novelist can be compared with him now that Tolstoy is dead."

A few of Blasco's works had appeared in this country before the translation of *The Four Horsemen: La Catedral* had been rendered into English in 1909 under the title *In the Shadow of the Cathedral; Sangre y Arena (The Blood of the Arena)* in 1911; *Sónnica* in 1912; and *La Barraca (The Cabin)* in 1917. The last was published as a school text in 1910. The success of the great war novel, however, opened the way for translations of practically all of Blasco's works; and these novels, together with the film versions of several, have now made him one of the best known of European novelists.

THE LIFE OF BLASCO IBÁÑEZ

Vicente Blasco Ibáñez was born in Valencia on January 29, 1867, of middle class parents who came originally from Aragon. Contrary to their desire, Vicente aspired to become an officer in the navy, but the mathematics required for such a career proved an insuperable obstacle and the young man turned to the profession of law. In this field

he also failed to distinguish himself, except perhaps for
inattendance at classes, even interrupting his course with
a brief escapade in Madrid, during which he came into
contact with that extraordinarily facile writer, Fernández
y González. The speed at which he saw this Spanish Du-
mas turn out *folletín* after *folletín* may indeed have had its
influence upon Blasco's rather rapid method of composition in later years.

Shortly after receiving his degree at the University of
Valencia, Blasco found himself implicated in a revolutionary movement against the government and was forced to
flee to Paris to escape imprisonment. Making his residence in the Latin Quarter, he spent two gay years in the
French capital until finally a general amnesty was granted
to political offenders and he was free to return to his native
city. There he married and "settled down" to a newspaper career. His little sheet, *El Pueblo*, however, gave
slight promise of more than a precarious existence, for the
republican tendencies of its editor soon made themselves
manifest and subscribers were few. In the face of innumerable difficulties Blasco succeeded in keeping the paper
alive and in it published his first important works — a
number of short stories and the novel, *Arroz y Tartana*.
Flor de Mayo and *La Barraca* likewise appeared in serial
form in the same newspaper.

In 1895 Blasco's vigorous protests against the war with
Cuba aroused the attention of the authorities and he was
again forced to leave Valencia. This time he made his way
to Italy and there spent several months in travel, noting
down his impressions in articles which he forwarded to

El Pueblo. These were afterwards published in book form under the title *En el país del arte.* Thinking that his "affair" had blown over, Blasco returned to Valencia only to find himself once more in trouble, and as a result spent over a year in prison. His release was at last secured on condition that he leave the province and report at regular intervals to the police in Madrid. This annoyance was of short duration, for his election to the Chamber of Deputies automatically released him from the obligation. In this new rôle Blasco proved himself no remarkable politician or statesman and yet he represented Valencia in six successive legislatures. During this period he continued his literary efforts and published several novels, the most notable of which is *Cañas y Barro*, although *La Catedral* aroused more comment.

In 1907 he made a hasty visit to Constantinople, passing through Switzerland and Austria, and writing his impressions in a series of newspaper articles which he later published together in a volume entitled *Oriente.* In the following year he was invited, with Anatole France, to deliver a series of lectures in Buenos Aires on literature, sociology and other topics of general interest. Not content with the scheduled program, he extended his journey to Uruguay, Paraguay and Chile, lecturing at every opportunity and before large audiences. For once his exuberant eloquence, which had led on previous occasions to exile, brought him a very considerable financial return. He went back to Spain early in the year 1910 and paid his respects to the country which had entertained him so well by writing *Argentina y sus grandezas*, a work rather more

of the nature of propaganda than an unbiased opinion.
Having received so friendly a reception in the new world
he could hardly write otherwise; and, furthermore, Blasco
was planning to return. During his journeyings through
the length and breadth of the great republic he had become
convinced of Argentina's vast economic possibilities and
had had a vision of becoming a colonizer, redeeming thousands of acres from their arid state and forcing them into
enormous productivity. The difficulties of this new enter-
prise may have been one of the attractions of this great
adventure, for such his settlement of a section of the Río
Negro district in southern Argentina proved to be. Not
content with one colony, he established another in northern Argentina, naming it Nueva Valencia, since he had
paid his tribute to Spain by calling his first venture "Cervantes."

Strangely enough, the novelist was successful in this
new field of endeavor until the year 1913, when an
economic crisis forced retrenchment upon innumerable
landowners in South America. Blasco, therefore, who
doubtless was not altogether averse to returning to his
old life and to his novels, sold "Cervantes," arranged for
the disposal of Nueva Valencia, and returned to Europe.
He was not permitted to forget his colonies, however, for
the settlement of numerous claims gave rise to lawsuits
which proved a source of annoyance for many years to
come.

During his stay in Argentina Blasco's pen had been
idle but his imagination had not. The difficulties and hardships encountered by him in the new world had suggested

a series of novels which were to deal with other Spaniards
who had risked life and fortune in the colonization of
America. An introductory volume, *Los Argonautas*, was
published, but further work on the new theme was interrupted in 1914 by the necessity of returning to Argentina
after the failure of the bank which had been in charge of
the Nueva Valencia affairs. This matter having been
settled more or less satisfactorily, Blasco returned to Paris
in July of the same year and found his plan completely up-
set by the outbreak of the World War.

In the conflict, Blasco sided whole-heartedly with the
French, undertaking a monumental *Historia de la Guerra
de Europa de 1914*, composing countless articles of propaganda for the cause of the allies, and translating many
others. This feverish activity, increased by the composition of the two war novels, *Los cuatro jinetes del apocalipsis*
and *Mare Nostrum*, brought about a nervous breakdown
and physicians counselled a vacation in southern France.
Even here his moments of "rest" were devoted to literary
activity and another novel, dealing to a lesser extent with
the war, was brought out, *Los enemigos de la mujer*.

By this time the English translation of *Los cuatro jinetes*
had made its author popular from one end of the Union to
another, and in 1919 Blasco received an invitation to lec-
ture in the United States, in spite of the fact that he spoke
no English. From the fall of 1919 until July 1920, with
the exception of a brief visit to Mexico, he remained in this
country, delivering addresses, attending banquets, and
receiving ovation after ovation. Once again, newspaper life
claimed him and fabulous prices were paid for his articles.

These attracted great attention, particularly those on Mexico, which appeared in the leading papers of the country, and were later published in a volume entitled *El militarismo mejicano*.

After returning from America, Blasco did not write his impressions of the United States as might have been expected. Perhaps he felt too kindly toward us to tell the truth. At any rate, only casual references were made in interviews to the peculiarities of Americans, though his experiences here found some reflection in an occasional short story (by no means his best) and in the novel *El paraíso de las mujeres*. Having published this book, Blasco turned his attention to his long delayed plan, the Spanish-American series. Much had happened, however, between the conception of the idea and the opportunity to carry it out, and *La Tierra de todos* and *La Reina Calafia* hardly fulfil the promise made years before in *Los Argonautas*. This series was once more interrupted in the winter of 1923–1924 when Blasco made a trip around the world. An account of this journey is to be found in *La Vuelta al mundo de un novelista*, two volumes of which appeared in 1924 with a third still to be published.

In the fall of 1924 he leaped into prominence again with the publication of a sensational manifesto directed against the King of Spain and the military directorate then in power. By means of airplanes Blasco, who was living in Paris, had thousands of these pamphlets scattered over the cities of northern Spain, hoping to arouse the people against the dictatorship so abhorrent to his republican tendencies. He succeeded in doing little more than stir up trouble for himself. Suits were brought against him in both Spain and France, and challenges to duels were of frequent occurrence. None of these flurries disturbed him greatly, as he felt safe in France and confident of the ultimate triumph of the cause for which he had fought. Nevertheless, the affair was not without its note of tragedy, for the government's sequestration of his property in Spain probably hastened the death of his wife, who had been an invalid in Valencia for many years.

THE WORK OF BLASCO IBÁÑEZ

Blasco Ibáñez' first novel *Arroz y Tartana* is probably the weakest of his earlier efforts, recalling somewhat the work of Emile Zola, whom the Valencian novelist greatly admired. It recounts the successive sacrifices of a woman of the middle class who strives to keep up appearances and to enjoy a luxury to which she is not entitled. The inevitable tragedy falls upon her son who, believing implicitly in his mother, finally sees his illusions swept away. In spite of the defects of this book, critics have spoken with approval of one of its extensive descriptions, a landscape which Blasco transforms into a "symphony of colors." — *Flor de Mayo* marks a great advance over the preceding novel. In it the hard-working fisherman, Retor, after attaining his ambition to possess a boat of his own, the "Mayflower," perishes at last in the element from which he drew his livelihood. As in *Arroz y Tartana*, the innocent suffers most, since Retor just before his death discovers the guilt of the woman in whom he has trusted. Particularly noteworthy in this novel is the description of a

storm, comparable to that in Pereda's *Sotileza*. — Most
critics accord first rank to Blasco's next novel, *La Barraca*,
a story of the bitter fight of a laborer, Batiste, against the
mass hatred of his neighbors, combined against him because of a tradition that the lands he occupied should
remain idle. The solidarity of the *huerta* must be main-
tained; and in the struggle, continued valiantly against
great odds, the family of the hated new-comer is ruined.
— In *Entre Naranjos* there appears the first of Blasco's
"terrible" heroines, Leonora, an Amazon in physique
whom a budding lawyer madly woos only to abandon out
of consideration for his mother. The lawyer's later life
proves to be respectable but uninteresting because, according to the teaching of the novel, "El amor no pasa más
que una vez en la vida." — *Sónnica la cortesana* deals with
the heroic resistance of Saguntum (situated a few miles
from the modern Valencia) against the savage attacks of
Hannibal. Through the historical narrative and archæo-
logical descriptions, which have caused critics to compare
this story with Flaubert's *Salammbô*, there is woven a
slight love story. — *Cañas y Barro*, for which Blasco is said
to have a special fondness, is an unpleasant combination of
adultery, infanticide and suicide. Yet the novel is written
with such artistry that it takes rank with the best of the
author's works and is considered by many to be his masterpiece.

The above works have been classified as "regional novels" since they deal with the customs and people of a particular district. The last two were published after Blasco's
election as deputy but were probably conceived some time

before his residence in Madrid. Having, then, cleared his desk of the Valencian program, Blasco launched a new series, "novelas de lucha," or novels of propaganda as they are sometimes called. In these the author describes in picturesque language some phase of Spanish life and becomes an apostle of a vague social revolution, inveighing against evils which he believed to be undermining the existence of Spain. *La Catedral*, for example, in addition to being a veritable guide book to the Cathedral of Toledo, is an attack upon the Catholic Church; *El Intruso* describes the mines of Bilbao and arraigns the Jesuits; *La Bodega* gives a spirited sketch of the wine industry of Jerez and argues strongly against drunkenness; while *La Horda* depicts the life of the underworld of Madrid and urges social reform. Of these, the last is less doctrinary and consequently more interesting, although it perhaps suffers from an excess of secondary characters.

Since "preaching" becomes less and less apparent in each succeeding novel of the "propaganda series" it is no surprise to find Blasco's next work entirely free from it. *La Maja desnuda* is largely a psychological study of the case of an artist whose wife comes between him and his work, inducing him to give up his ideals and devote himself to commercial painting. After her death, the painter, who has lost his touch, vainly seeks to reproduce a portrait of her executed in his earlier inspired manner but which she, in a fit of jealousy, had destroyed. — *Sangre y Arena*, particularly well known in this country through the film version, portrays the life of a *torero*. In a way this novel harks back to the "novelas de lucha" because the final lines, and the withholding of horror until the last, make it certain that Blasco is again attacking a national institution. Particularly interesting in this work is the episode of "Plumitas," a typically romantic bandit. — *Los Muertos mandan* is a picturesque study of the force of tradition in the islands of Mallorca and Ibiza. After a demonstration, however, that the "Dead command" we are surprised to find the author stating that "Quien manda es la vida, y sobre la vida el Amor." — The title of the foregoing novel might be more properly applied to his next work, *Luna Benamor*, a novelette in which a Jewess of Gibraltar renounces her love for a Christian on account of the force of tradition and the opposition of her family.

The action of the voluminous *Los Argonautas* centers about a single trip of a transatlantic liner from Lisbon to Buenos Aires. The slightest thread of narrative connects the innumerable descriptions of life on the boat, the parts of the ship, the types of passengers, the difference between the luxury of present-day travel and the hardships of early explorers. It is indeed a fitting introduction to the projected Spanish-American series, but to read it one really needs the leisure of a trip similar to the one which the book describes.

The all too prominent anti-German propaganda of *Los cuatro jinetes* has already made this novel somewhat out of date, but not even this can detract from the interest of the magnificent series of pictures of which this book is composed: — life on the Argentine *pampas*, the mobilization of France, the thrilling Battle of the Marne, a glimpse of the trenches, the activity of the base hospitals and, last and saddest, the cemeteries. Of the numerous and varied characters, the best drawn, and certainly the most interesting, is a secondary figure, the old centaur, Madariaga, galloping over his vast estates, and dying as he had lived, a true *gaucho*. — *Mare Nostrum* contains less anti-German propaganda, but the interest here is somewhat diverted by numerous lengthy discussions of the history, geography and peculiarities of the Mediterranean. This story of submarine warfare is more unified than that of *The Four Horsemen* and in it appears one of the most interesting of Blasco's female characters, Freya, the German spy. — In his next novel, *Los enemigos de la mujer*, Blasco gives a picture of an eddy of the great current of warfare, Monte Carlo, untouched, but not unaffected, by the terrific struggle. One by one the members of the group which had sworn hostility to womankind fall a victim to their charms and, in spite of their supposed aloofness from the conflict, are gradually drawn into the war. In this novel Blasco depicts the entry of the United States into the clash of arms.

In spite of the fact that the author asserts that *El paraíso de las mujeres* is not a satire on the position of women in the United States, it appears certain that this modern *Gulliver's Travels* was so intended. The action takes place on an island in the Pacific where the women have revolted, taking the reins of power and subjecting the men to domestic service. The latter are not altogether satisfied with this arrangement, however, and at the close of the book a counter-revolution is begun, the outcome of which remains in doubt.

The scene of *La tierra de todos*, the second novel of the Spanish-American series, is laid in Argentina in a small settlement probably not unlike the "Cervantes" founded by the author. There the few inhabitants live in a fairly congenial manner until the advent of an unscrupulous woman accustomed to high society. Her inability to conform to a primitive mode of living gives rise to a series of petty intrigues which end in tragedy for practically all who come into contact with this dangerous "temptress." — Since most of the action of Blasco's next novel, *La Reina Calafia*, takes place in Madrid it is a little difficult to see that it belongs to the same series as *La tierra de todos*. References to Spanish explorers in our Southwest, however, make it clear that the author has not entirely departed from his plan. The plot concerns the rivalry of two women for a man's love, in which conflict the older of the two triumphs, only to sacrifice her dream of happiness when she realizes that it probably will not last.

In spite of his political activities, Blasco Ibáñez' work as a novelist is far from finished; several other novels have already been announced to appear shortly, and this writer of "intense radiant power" may well have many surprises in store. Still, it is doubtful whether he will ever be able to surpass his early productions, the Valencian novels. These have stood the test of time and meet with ever favorable comment as the years go by.

The short stories of this writer have probably never been accorded the praise they deserve. This may be due in part to the fact that they are not numerous and that they have been scattered over a long period of years — from the early days of *El Pueblo* to the present time. Certainly none of them received the publicity of sensation, as was the case with *La Catedral;* none of them have been expanded into "movie" plots; and none have been particularly successful in translation. In spite of all this, one can ill afford to slight the collections entitled *Cuentos Valencianos, La Condenada, Luna Benamor, El préstamo de la difunta,* and *Cuentos de la Costa Azul.*

In the last mentioned a more conscious effort is made by the author to analyse his characters than is the case in preceding collections, but this analysis tends to retard the interest rather than to add to it. It is Blasco's earlier work that shows him at his best in this type of prose fiction. Here his characters are outlined in a few quick strokes and then left to explain themselves. The narrative is consequently more dramatic and the action swifter. In many of these early stories, too, the author evinces a keen sense of humor and a rare touch of irony, qualities which occur occasionally in his novels but which, there, are sometimes lost sight of in the abundance of detail.

El préstamo de la difunta is the longest of his *cuentos* and is certainly the best of the stories dealing with South America, *Golpe doble* and *La paella del roder* are thrilling studies of the Valencian *huerta, En el mar* is a complete summary of the life of the fisher-folk of Blasco's native town, *El parásito del tren* gives us an insight into the author's sympathy and kindly nature, while *El ogro* and *El último león* are the best examples of his humor. These stories rank with any published in Spain in recent years and are perhaps the part of Blasco's work which will longest endure.

BIBLIOGRAPHICAL NOTE

The following is a brief list of books dealing with Blasco Ibáñez:

JEAN AMADE, *Etudes de littérature méridionale.* Toulouse, 1907.

JULIO CEJADOR Y FRAUCA, *Historia de la lengua y literatura castellana.* Vol. IX. Madrid, 1918.

J. D. M. FORD, *Main Currents of Spanish Literature.* New York, 1919.

ANDRÉS GONZÁLEZ BLANCO, *Historia de la novela en España desde el romanticismo á nuestros días.* Madrid, 1909.

CAMILO PITOLLET, *V. Blasco Ibáñez. Sus novelas y la novela de su vida.* Valencia [1921].

F. VÉZINET, *Les Maîtres du roman espagnol contemporain.* 1907.

EDUARDO ZAMACOIS, *Mis contemporáneos. I. Vicente Blasco Ibáñez.* Madrid, 1910.

SIETE CUENTOS

EL PRÉSTAMO DE LA DIFUNTA

I

Cuando los vecinos del pequeño valle enclavado entre dos estribaciones de los Andes se enteraron de que Rosalindo Ovejero pensaba bajar a la ciudad de Salta para asistir a la procesión del célebre Cristo llamado « el Señor del Milagro », fueron muchos los que 5 le buscaron para hacerle encomiendas piadosas.

Años antes, cuando los negocios marchaban bien y era activo el comercio entre Salta, las salitreras de Chile y el Sur de Bolivia, siempre había arrieros ricos que por entusiasmo patriótico costeaban el 10 viaje a todos sus convecinos, bajando en masa del empinado valle para intervenir en dicha fiesta religiosa. No iban solos. El escuadrón de hombres y mujeres a caballo escoltaba a una mula brillantemente enjaezada llevando sobre sus lomos una 15 urna con la imagen del Niño Jesús, patrón del pueblecillo.

Abandonando por unos días la ermita que le servía de templo, figuraba entre las imágenes que precedían al Señor del Milagro, esforzándose los 20 organizadores de la expedición para que venciese por sus ricos adornos a los patrones de otros pueblos.

3

El viaje de ida a la ciudad sólo duraba dos días. Los devotos del valle ansiaban llegar cuanto antes para hacer triunfar a su pequeño Jesús. En cambio, el viaje de vuelta duraba hasta tres semanas, 5 pues los devotos expedicionarios, orgullosos de su éxito, se detenían en todos los poblados del camino.

Organizaban bailes, durante las horas de gran calor, que a veces se prolongaban hasta media noche, consumiendo en ellos grandes cantidades de *mate* 10 y toda clase de mezcolanzas alcohólicas. Los que poseían el don de la improvisación poética cantaban, con acompañamiento de guitarra, *décimas*, *endechas* y *tristes*, mientras sus camaradas bailaban la *zamacueca* chilena, el *triunfo*, la *refalosa*, la *mediacaña* y el 15 *gato*, con relaciones intercaladas.

Algunas veces, este viaje, en el que resultaban más largos los descansos que las marchas, se veía perturbado por alguna pelea que hacía correr la sangre; pero nadie se escandalizaba, pues no es verosímil 20 que una gente que va con armas y ha hecho viajes a través de los Andes pueda vivir en común durante varias semanas, bailando y bebiendo con mujeres, sin que los cuchillos se salgan solos de sus fundas.

Ahora ya no había arrieros gananciosos que dedi- 25 casen unas cuantas docenas de onzas de oro al viaje del Niño Jesús y de sus devotos. Los más ricos se habían ido del pueblecillo; sólo quedaban arrieros pobres, de los que aceptan un viaje a El Paposo en

Chile o a Tarija en Bolivia por lo que quieren darles
los comerciantes de Salta.

Rosalindo Ovejero era el único que deseaba seguir
la tradición, bajando a la ciudad para acompañar al
Señor del Milagro en su solemne paseo por las calles. 5

Desde que anunció su viaje, el rancho de adobes
con techumbre sostenida por grandes piedras, que
había heredado de sus padres, empezó a recibir
visitas. Todos acompañaban su encargo con un
billete de a peso. 10

Las mujeres le narraban, sin perdonar detalle,
las grandes enfermedades de que las había salvado
la imagen milagrosa. Ellas no podían hacer el
viaje, como en otros años; pero Rosalindo iba a
representarlas, pues el Señor del Milagro es bonda- 15
doso y admite toda clase de sustituciones. Lo
importante era pagar un cirio para que ardiese en
su procesión.

— Tomá, hijo, y cómpralo de los más grandes —
le decían las mujeres al entregarle el dinero —. Te 20
pido este favor porque fuí muy amiga de tu pobre
mamá.

Después iban llegando los varones: pobres arrieros, curtidos por los vientos glaciales de la Cordillera
que derriban a las mulas. Algunos, durante las 25
grandes nevadas, habían quedado aislados meses
enteros en una caverna — lo mismo que los náufra-
gos que se refugian en una isla desierta — teniendo

que esperar la vuelta del buen tiempo, mientras a
su lado morían los compañeros de hambre y de
frío.

— Tomá, Rosalindo, para que me lleves un cirio
5 detrás del Señor. El y yo sabemos lo mucho que
le debo.

Todos mostraban una fe inmensa en este Cristo
que había llegado al país poco después de los primeros conquistadores españoles, a través de las
10 soledades del Pacífico, en un cajón flotante, sin
vela ni remo, el cual fué a detenerse en un puerto
del Perú. La imagen había escogido a Salta como
punto de residencia, y desde entonces llevaba reali-
zados miles y miles de milagros.

15 Pero las gentes sencillas de la Cordillera no acep-
taban que esta divinidad omnipotente traída por
los blancos pudiese vivir sola, y su imaginación
había creado otras divinidades secundarias. Res-
petaban mucho al Cristo de Salta, pero les inspi-
20 raba más miedo la « Viuda del farolito », una bruja
que se aparecía de noche con un farol en una mano
a los arrieros perdidos en los caminos. El que la
encontraba debía hacer inmediatamente sus preparativos para irse al otro mundo, pues segura-
25 mente ocurriría su muerte antes de que se cumpliese
un año.

Rosalindo Ovejero contó los encargos antes de
salir de su casa. Eran catorce cirios los que debía

llevar en la procesión, y él sólo se creía capaz de
sostener ocho, cuatro en cada mano, metidos entre
los dedos. Luego pensó que siempre encontraría
en los despachos de bebidas de Salta algún « amigazo » de buena voluntad que quisiera encargarse 5
de los restantes, y emprendió el camino montado
en un jaco que por el momento era toda su fortuna.

Para representar dignamente a los convecinos
pidió prestadas unas grandes espuelas que, según
tradición, habían pertenecido a cierto gaucho salteño 10
de los que a las órdenes de Güemes combatieron
contra los españoles por la independencia del país.
Se puso el menos viejo de sus ponchos, de color de
mostaza, y un sombrero enorme, por debajo de
cuyos bordes se escapaba una melena lacia e inten- 15
samente negra, uniéndose a sus barbas de Nazareno.
La silla de montar tenía a ambos lados unas alas
fuertes de correa, llamadas « guardamontes », para
librar las piernas del jinete de los arañazos y golpes
de los matorrales. De lejos, estas alas hacían del 20
pobre jaco una caricatura del caballo de las Musas.

Los dos orgullos del joven salteño eran su cabalgadura y su nombre. El nombre lo debía a una
mestiza sentimental que había estudiado para
maestra en la ciudad, llevando al pueblecito de los 25
Andes el producto de sus desordenadas lecturas.
Quiso crear una generación con arreglo a sus ideales
poéticos, y a él le puso Rosalindo, a un hermano

suyo que había muerto lo bautizó Idilio, y a una
hermana que estaba ahora en Bolivia aconsejó que
la llamasen Zobeida, como la esposa del sultán de
Las mil y una noches.

5   Rosalindo llegó a Salta el mismo día de la procesión.   Era en Septiembre, cuando empieza la
primavera en el hemisferio austral, y las calles
estaban impregnadas del perfume de flores que ex-
halaban sus viejos jardines.   Volteaban las cam-
10 panas en las torres de iglesias y conventos, esbeltas
construcciones de gran audacia en un país donde
son frecuentes los temblores del suelo.   Un regimiento de artillería de montaña acantonado en
Salta por el gobierno de Buenos Aires iba a dar
15 escolta al Señor del Milagro.   Los frailes de los
diversos monasterios circulaban por las calles, de
aspecto colonial, y por la antigua Plaza de Armas,
rodeada de soportales lo mismo que una vieja plaza
de España.   Sobre algunas puertas quedaba aún el
20 escudo de piedra, revelador del orgullo nobiliario de
los que construyeron el caserón en la época que aún
no había nacido la República Argentina y el país
era gobernado por los representantes de la monarquía española.

25   Se presentó Ovejero puntualmente en la iglesia
a la hora de la procesión.   Desfilaron primeramente
las diversas imágenes de los pueblos con su acompañamiento de devotos.   Habían venido éstos de

muchas leguas de distancia, bajando las montañas
como rosarios de hormigas multicolores. Los hombres, al abandonar su caballo con alas de cuero y
lazo formando rollo a un lado de la silla, marchaban con una torpeza de centauro, haciendo resonar 5
a cada paso sus enormes espuelas. Con el sombrero
sostenido por ambas manos y la cabeza inclinada,
precedían humildemente a sus imágenes. Confundidos entre ellos pasaban sus chicuelos, envueltos
en ponchos rayados de rojo y negro, y sus mujeres, 10
gordas y lustrosas mestizas, que parecían vestidas
de máscaras a causa de sus faldas de colores chi-
llones, verde, rosa o escarlata.

Las cofradías de la ciudad eran las que escoltaban al Cristo milagroso. Las señoritas de Salta 15
iban de dos en dos, siguiendo las banderas y estandartes llevados por unos frailes ascéticos que
parecían escapados de un cuadro de Zurbarán.
Todas estas jóvenes aprovechaban la fiesta para
estrenar sus trajes primaverales, blancos, rosa, de 20
suave azul, o de color de fresa. Cubrían sus peina-
dos con enormes sombreros de altivas plumas; en
una mano llevaban una vela rizada y sin encender,
envuelta en un pañuelo de encajes, y con la otra se
recogían la falda.
                                                      25
Esta devoción primaveral no tenía un rostro
compungido. Las señoritas alzaban la cabeza para
recibir los saludos de la gente de los balcones, o

acogían con ligera sonrisa las ojeadas de los jóvenes agrupados en las esquinas. La emoción religiosa sólo era visible en la muchedumbre rústica que ocupaba las aceras, gentes de tez cobriza, ademanes
5 humildes y voces cantoras y dulzonas. Las mujeres iban cubiertas con un largo manto negro, igual al de las chilenas; los hombres con un poncho amarillento y ancho sombrero, duro y rígido como si fuese un casco. Todos se conmovían, hasta llorar,
10 viendo entre las nubes de incienso de los sacerdotes y las bayonetas de los soldados al Cristo prodigioso clavado en la cruz, sin más vestido que un hueco faldellín de terciopelo.

Detrás de la imagen arcaica desfilaba lo más
15 interesante de la procesión: el ejército doliente de los que deseaban hacer pública su gratitud al Señor del Milagro por los favores recibidos. Eran « chinitas » de juvenil esbelteza y frescura, con una vela en la diestra y un manto negro sobre la falda hueca
20 de color vistoso y amplios volantes. Por debajo de las rizadas enaguas aparecían sus pies desnudos, pues habían hecho promesa al Cristo de seguirle descalzas durante la procesión. Pasaban también ancianas apergaminadas y rugosas — como debía
25 ser la « Viuda del farolito » — que lanzaban suspiros y lágrimas contemplando el dorso del milagroso Señor. Y revueltos con las mujeres desfilaban los gauchos de cabeza trágica, barbudos, melenudos,

curtidos por el sol y las nieves, con el poncho deshilachado y las botas rotas. Muchas de estas botas parecían bostezar, mostrando por la boca abierta de sus puntas los dedos de los pies, completamente libres.

Ni uno solo de estos jinetes de perfil aguileño, andrajosos, fieros y corteses, dejaba de llevar con orgullo grandes espuelas. Antes morirían de hambre que abandonar su dignidad de hombres a caballo.

Todos atendían a las pequeñas llamas que palpitaban sobre sus puños cerrados, cuidando de que no se apagasen. Algunos llevaban hasta cuatro velas encendidas entre los dedos de cada mano, cumpliendo así los encargos de los devotos ausentes. Rosalindo figuraba entre ellos, y un amigo que iba a su lado era portador de los seis cirios restantes. Los dos, por ser jóvenes, procuraban marchar entre las devotas de mejor aspecto.

Ovejero no había dudado un momento en cumplir fielmente los encargos recibidos. Con la imagen milagrosa no valían trampas. Unicamente se permitió comprar los cirios más pequeños que los deseaban sus convecinos, reservándose la diferencia de precio para lo que vendría después de la procesión.

Los entusiastas del Cristo que no habían podido comprar una vela necesitaban hacer algo en honor

de la imagen, y metían un hombro debajo de sus
andas para ayudar a los portadores.   Pero eran
tantos los que se aglomeraban para este esfuerzo
superfluo y tan desordenados sus movimientos, que
5 el Señor del Milagro se balanceaba, con peligro de
venirse al suelo, y la policía creía necesario intervenir, ahuyentando a palos a los devotos exce-
sivos.

Cuando terminó la procesión, Rosalindo apagó
10 los catorce cirios, calculando lo que podrían darle
por los cabos.   Luego, en compañía de su amigo,
se dedicó a correr las diferentes casas « de alegría »
existentes en la ciudad.

En todas ellas se bailaba la *zamacueca*, llamada
15 en el país la *chilenita*.   Cerca de media noche, sudo-
rosos de tanto bailar y de las numerosas copas de
aguardiente de caña — fabricado en los ingenios de
Tucumán — que llevaban bebidas, entraron en una
casa de la misma especie, donde al son de un arpa
20 bailaban varias mujeres con unos jinetes de estatura casi gigantesca.   Eran gauchos venidos del
Chaco conduciendo rebaños; hombretones de perfil
aguileño y maneras nobles, que recordaban por su
aspecto a los jinetes árabes de las leyendas.

25   El arpa iba desgranando sus sonidos cristalinos,
semejantes a los de una caja de música, y los
gauchos saltaban acompañados por el retintín de
sus espuelas, persiguiendo a las mestizas de bata

flotante que balanceaban cadenciosamente el talle
agitando en su diestra el pañuelo, sin el cual es
imposible bailar la *chilenita*.

Los punteados románticos del arpa tuvieron la
virtud de crispar los nervios de Rosalindo, agrián- 5
dole la bebida que llevaba en el cuerpo. Su amigo
experimentó una sensación igual de desagrado, y
los dos dieron forma a su malestar, hasta conver-
tirlo en un odio implacable contra los gauchos del
Chaco.   ¿Qué venían a hacer en Salta, donde no 10
habían nacido?... ¿Por qué se atrevían a bailar
con las mujeres del país?...

Los dos sabían bien que estas mujeres bailaban
con todo el mundo, y que las más de ellas no eran
de la tierra.   Pero su acometividad necesitaba un 15
pretexto, fuese el que fuese, y al poco rato, sin
darse cuenta de cómo empezó la cuestión, se vieron
con el cuchillo en la mano frente a los gauchos del
Chaco, que también habían desnudado sus facones.

Hubo un herido; chillaron las mujeres; el hom- 20
bre del arpa salió corriendo llevando a cuestas su
instrumento, que gimió de dolor al chocar con las
rejas salientes de la calle; acudieron los vecinos, y
llegaron al fin los policías, que rondaban esta noche
más que en el resto del año, conociendo por expe- 25
riencia los efectos de la aglomeración en la fiesta del
Señor del Milagro.

Rosalindo se vió con su amigo en las afueras de

la ciudad, al perder la excitación en que le habían
puesto su cólera y la bebida.

— Creo que lo has matado, hermano —, dijo el
compañero.

5   Y como era hombre de experiencia en estos asuntos, le aconsejó que se marchase a Chile si no quería
pasar varios años alojado gratuitamente en la penitenciaría de Salta.

Todas las mujeres de la « casa alegre », así como
10 los gauchos, habían visto perfectamente cómo daba
Rosalindo la cuchillada al herido. Además, su
arma había quedado abandonada en el lugar de la
pelea.

El camino para huir no era fácil. Tendría que
15 atravesar la Quebrada del Diablo, siguiendo después
un sendero abrupto a través de los Andes, hasta
llegar al puerto del Pacífico llamado El Paposo.
Muchos chilenos, huyendo de la justicia de su país,
hacían este viaje, y bien podía él imitarlos por
20 idéntico motivo, siguiendo la misma travesía, pero
en sentido inverso.

Rosalindo intentó ir a la mísera posada donde
había dejado su caballo, pero cuando estaba cerca
de ella tuvo que retroceder, avisado por el fiel
25 camarada. La policía, más lista que ellos, estaba
ya registrando los objetos de la pertenencia de Ovejero, entreteniendo así su espera hasta que se pre-
sentase el culpable.

— Hay que huir, hermano — volvió a aconsejar el amigo.

Juzgaba peligrosa, después de esto, la ruta más corta que conduce a la provincia de Copiapó, en la vecina República de Chile. Era camino muy frecuentado por los arrieros, y la policía podía darle alcance. Ya que no tenía montura, lo acertado era tomar el camino más duro y abundante en peligros, pero que sólo frecuentan los de a pie. Como su ausencia iba a ser larga y le era preciso ganarse el pan, resultaba preferible esta ruta, pues al término de ella encontraría las famosas salitreras chilenas, donde siempre hay falta de hombres para el trabajo, y a veces se pagan jornales inauditos.

Rosalindo conocía de fama este camino, llamado del Despoblado. Detrás del tal Despoblado se encontraba algo peor: la terrible Puna de Atacama, un desierto de inmensa desolación, donde morían los hombres y las bestias, unas veces de sed, otras de frío, y en algunas ocasiones caían abrumados por el viento.

Ovejero se guardó las espuelas en el cinto, renunciando a su dignidad de jinete para convertirse en peatón.

— Si tienes suerte — continuó el camarada —, tal vez en veinte días o en un mes llegues al puerto de Cobija o a las salitreras de Antofagasta. Hay arrieros que han hecho el camino en ese tiempo.

Y con la ternura que inspira el amigo en pleno infortunio, le dió su cuchillo y toda la pequeña moneda que pudo encontrar en los diferentes escondrijos de su traje.

— Tomá, hermano; lo mismo harías tú por mí si yo me hubiese « desgraciado ». ¡ Que el Señor del Milagro te acompañe !

Y Rosalindo Ovejero volvió la espalda a la ciudad de Salta, tomando el camino del Despoblado.

II

Lo conocía sin haber pasado nunca por él, como conocía todos los caminos y senderos de los Andes, donde hombres y cuadrúpedos son menos que hormigas, trepando lentamente por las arrugas y las aristas de unas montañas tan altas que impiden ver el cielo.

Su padre se había dedicado al arrieraje, y todos sus antecesores vivieron del ejercicio de la misma profesión.   Llevaban productos del país a los puertos del Pacífico, para traer en sus viajes de vuelta objetos de procedencia europea, pues Buenos Aires y los demás puertos argentinos están muy lejos. En su casa, Rosalindo sólo había oído hablar de peligrosos viajes a través de los Andes y de la altiplanicie desolada de Atacama.

Después, en su adolescencia, fué de ayudante
con algunos arrieros, cuidando las mulas en los
malos pasos para que no se despeñasen. En estos
viajes por las interminables soledades no temía a
los hombres ni a las bestias. Para el vagabundo 5
predispuesto a convertirse en salteador, tenía su
cuchillo, y también para el puma, león de las altiplanicies desiertas, no más grande que un mastín,
pero que el hambre mantiene en perpetua ferocidad,
impulsándole a atacar al viajero. Lo único que le 10
infundía cierto pavor en esta naturaleza grandiosa
y muda, a través de la cual habían pasado y repa-
sado sus ascendientes, eran los poderes misteriosos
y confusos que parecían moverse en la soledad.

Ovejero tenía un alma religiosa a su modo y 15
propensa a las supersticiones.

Creía en el Cristo de Salta, pero al lado de él
seguía venerando a las antiguas divinidades indígenas, como todos los montañeses del país. El
Señor del Milagro disponía indudablemente del 20
poder que tienen los hombres blancos, dominado-
res del mundo, pero no por esto la Pacha-Mama
dejaba de ser la reina de la Cordillera y de los
valles inmediatos, como muchos siglos antes de la
llegada de los españoles.   25

La Pacha-Mama es una diosa benéfica que está
en todas partes y lo sabe todo, resultando inútil
querer ocultarle palabras ni pensamientos. Repre-

senta la madre tierra, y todo arriero que no es un
desalmado, cada vez que bebe, deja caer algunas
gotas, para que la buena señora no sufra sed.
También cuando los hombres bien nacidos se en-
5 tregan al placer de mascar coca, empiezan siempre
por abrir con el pie un agujero en el suelo y
entierran algunas hojas. La Pacha-Mama debe
comer, para que el hambre no la irrite, mostrán-
dose vengativa con sus hijos.

10   Rosalindo sabía que la diosa no vive sola. Tiene
un marido que es poderoso, pero con menos autoridad que ella: un dios semejante a los reyes con-
sortes en los países donde la mujer puede heredar
la corona. Este espíritu omnipotente se llama el
15 Tata-Coquena, y es poseedor de todas las riquezas
ocultas en las entrañas del globo.

Muchos naturales del país se habían encontrado
con los dos dioses cuando llevaban sus arrias por
los desfiladeros de los Andes; pero siempre ocurría
20 tal encuentro en días de tempestad, como si los
dioses sólo pudieran dejarse ver a la luz de los re-
lámpagos y acompañados por los truenos que ruedan
con un estallido interminable de montaña en montaña y de valle en valle.

25   La Pacha-Mama y el Tata-Coquena eran arrieros.
¿ Qué otra cosa podían ser, poseyendo tantas riquezas ? ... Los que les veían no alcanzaban a contar
todas las recuas de llamas, enormes como elefantes,

que marchaban detrás de ellos. Las «petacas» o
maletas de que iban cargadas estas bestias gigan-
tescas estaban repletas de coca, precioso cargamento
que emocionaba más a los arrieros de la Cordillera
que si fuese oro.   5

Los del país no conocían riqueza que pudiera
compararse con estas hojas secas y refrescantes, de
las que se extrae la cocaína y que suprimen el
hambre y la sed.

El padre de Rosalindo se había encontrado al-   10
gunas veces con la Pacha-Mama en tardes de tempestad, describiendo a su hijo cómo eran la diosa y
su consorte, así como el lucido y majestuoso aspecto
de sus recuas. Pero siempre le ocurría este encuentro después de un largo alto en el camino, en unión 15
de otros arrieros, que había sido celebrado con fraternales libaciones.

Al emprender su marcha por el Despoblado,
pensó Rosalindo al mismo tiempo en el Cristo de
Salta y en la Pacha-Mama. Las dos sangres que 20
existían en él le daban cierto derecho a solicitar el
amparo de ambas divinidades. Entre sus antecesores había un tendero español de Salta, y el resto
de la familia guardaba los rasgos étnicos de los
primitivos indios calchaquíes. Si le abandonaba 25
uno de los dioses, el otro, por rivalidad, le protegería.

Después de esto se lanzó valerosamente a través
del Despoblado.

Los más horrendos paisajes de la Cordillera conocidos por él resultaban lugares deliciosos comparados con esta altiplanicie.   La tierra sólo ofrecía una
vegetación raquítica y espinosa al abrigo de las
5 piedras. . A veces encontraba montones de escorias metálicas y ruinas de pueblecitos y capillas,
sin que ningún ser humano habitase en su proximidad.   Eran los restos de establecimientos mineros
creados por los conquistadores españoles cuando
10 se extendieron por estos yermos en busca de metales
preciosos.   Los indios calchaquíes se habían sublevado en otro tiempo, matando a los mineros, destruyendo sus pueblos y cegando los filones auríferos,
de tal modo, que era imposible volver a encontrarlos.
15 El paisaje se hacía cada vez más desolado y
aterrador.   Sobre esta altiplanicie, donde caía la
nieve en ciertos meses, sepultando a los viajeros,
no había ahora el menor rastro de humedad.   Todo
era seco, árido y hostil.   Las riquezas minerales
20 daban a las montañas colores inauditos.   Había
cumbres verdes, pero de un verde metálico; otras
eran rojas o anaranjadas.

En ciertas oquedades existía una capa blanca y
profunda, semejante al sedimento de un lago cuyas
25 aguas acabasen de solidificarse.   Estos lagos secos
eran de borato.

Caminó después días enteros sin encontrar ninguna vegetación.   Únicamente en las quebradas

secas crecían ciertos cactos del tamaño de un hombre, rectos como columnas espinosas. Estos cactos,
vistos de lejos, daban la impresión de filas de soldados que descendían por las laderas en orden abierto.

Rosalindo, en las primeras jornadas, encontró 5
las chozas de algunos solitarios del Despoblado.
Eran pastores de cabras — el rebaño del pobre —
que realizaban el milagro de poder subsistir, ellos
y sus animales, sobre una tierra estéril. Más adelante ya no encontró ninguna vivienda humana. 10
La soledad absoluta, el silencio de las tierras muer-
tas, la profundidad misteriosa de la carencia de
toda vida, se abrieron ante sus pasos para cerrarse
inmediatamente, absorbiéndolo.

Para darse nuevos ánimos recordaba lo que había 15
oído algunas veces sobre los primeros hombres
blancos que atravesaron este desierto. Eran españoles con arcabuces y caballos, guerreros de pesadas
armaduras que no sabían adónde les llevaban sus
pasos e ignoraban igualmente si la horrible Puna de 20
Atacama tendría fin. Su jefe se llamaba Almagro y
había abandonado a Pizarro en el Perú para atravesar esta soledad aterradora, descubriendo al otro
lado del desierto la tierra que luego se llamó Chile.

— ¡ Qué hombres, pucha ! —, pensaba Rosalindo. 25
Y se consideraba con mayores fuerzas para continuar el viaje. El a lo menos sabía con certeza
adónde se dirigía, y encontraba todos los detalles

topográficos del terreno de acuerdo con los informes
que le había proporcionado su camarada y los
solitarios establecidos en los linderos del desierto.

Ninguno de éstos, al darle hospitalidad en su
5 vivienda, le hizo preguntas indiscretas. Adivinaban
que huía por haberse « desgraciado », y como este
infortunio le puede ocurrir a todo hombre que usa
cuchillo, se limitaron a darle explicaciones sobre el
rumbo que debía seguir, añadiendo algunos pedazos
10 de carne de cabra seca, para que no muriese de
hambre en su audaz travesía.

Cuando hubo consumido todas sus vituallas, no
por esto perdió el ánimo. Mientras conservase una
bolsa que llevaba pendiente de su cinturón, no
15 temía al hambre ni a la sed. En ella llevaba su
provisión de coca, alimento maravilloso para los
indígenas, porque da la insensibilidad de la parálisis y suspende el tormento de las necesidades, esparciendo a la vez por todo el organismo un alegre vigor.
20 Gracias a este anestésico — considerado en el país
como un manjar de origen divino — podría vivir
días y días, sin que el hambre ni la sed dificultasen
su viaje.

Buscaba al cerrar la noche el abrigo natural de
25 las piedras o de los muros en ruinas que revelaban
el emplazamiento de algún establecimiento minero
arrasado dos siglos antes. Sólo reanudaba su marcha con la luz del sol, para ir guiándose por las

señales que le habían indicado, evitando el perderse
en esta tierra monótona, sin árboles, sin casas, sin
ríos que le pudiesen servir de punto de orientación.

Lo que más le preocupaba era la posibilidad de
que se levantase de pronto uno de los terribles 5
vientos glaciales que barren la Puna. Mientras la
atmósfera se mantuviese tranquila no se consideraba
en peligro de muerte. El frío huracán, en esta
altiplanicie donde es imposible encontrar refugio,
resultaba tan temible como la nieve que sepulta. 10

La rarefacción de la atmósfera representaba
igualmente una fatiga mortal para los que cruza-
ban por primera vez las altiplanicies andinas. Pero
Ovejero, habituado a respirar en las grandes alturas,
estaba libre del llamado « mal de la Puna ». Tenía el 15
corazón sólido de los montañeses y su pecho dilatado
le permitía respirar sin angustia en unas tierras
situadas a más de tres mil metros sobre el Océano.

Una mañana adivinó que había llegado al punto
más culminante y difícil de su camino. Dos o tres 20
jornadas más allá empezaría su descenso hacia el
Pacífico.

— Debo estar cerca de la difunta Correa —,
pensó.

Conocía de fama a la « difunta Correa », como 25
todos los hijos de la tierra de Salta.

Era una pobre mujer que se había lanzado a
través del desierto a pie y con una criatura en los

brazos. Su deseo era llegar a Chile en busca de un
hombre: tal vez su marido, tal vez un amante que
la había abandonado. Los vientos glaciales de la
Puna la envolvieron en lo más alto de la planicie,
5 y ella y su criatura, refugiadas en una oquedad del
suelo, murieron de frío y de hambre. Meses después la descubrieron otros viandantes en el mismo
estado que si acabase de morir, pues los cadáveres
se mantienen en las secas alturas de la Puna en una
10 conservación absoluta que parece desafiar a la
muerte.

La piedad de los vagabundos andinos abrió una
fosa en el suelo estéril para enterrar a esta mujer,
apellidada Correa, y a su niño, colocando sobre los
15 cadáveres un montón de piedras como rústico monumento.

Se extendió por todo el país la fama de la « difunta
Correa ». Eran muchos los que habían muerto en
los senderos de la altiplanicie llamados « travesías »,
20 pero ninguno de los vagabundos fallecidos podía
inspirar el mismo interés novelesco que esta mujer.

La tumba de la difunta Correa fué en adelante el
lugar de orientación para los que pasaban de Salta a
Chile. Todo viandante se consideró obligado a rezar
25 una oración por la difunta y a dejar una limosna
encima de su sepulcro. Uno de los solitarios del
Despoblado se instituyó a sí mismo administrador
póstumo de la difunta, y cada seis meses o cada año

hacía el viaje hasta la tumba para incautarse de las limosnas, dedicándolas al pago de misas.

Este asunto era llevado con una probidad supersticiosa. El dinero de las limosnas permanecía meses y meses sobre la tumba, sin que los viajeros —en su mayor parte hombres de tremenda historia— osasen tocar la más pequeña parte del depósito sagrado. Muy al contrario, todos procuraban dar aunque sólo fuesen unos centavos, por creer que una limosna a la difunta Correa era el medio más seguro de terminar el viaje felizmente.

Rosalindo encontró al fin la tumba. Era un montón de piedras adosado a otras piedras que parecían la base de un muro desaparecido. Dos maderos negros y resquebrajados por el viento formaban una cruz, y al pie de ella había una vasija de hojalata, un antiguo bote de carne en conserva venido de Chicago a la América austral para acabar sirviendo de cepillo de limosnas sobre la sepultura de una mujer.

Ovejero examinó su interior. Una piedra gruesa depositada en el fondo del bote servía para mantenerlo fijo sobre la tumba y que no lo arrebatase el viento. Al levantar la piedra, su mirada encontró el dinero de las limosnas: unos cuantos billetes de a peso y varias piezas de níquel. Tal vez había transcurrido un año sin que el administrador de la muerta viniese a recoger las limosnas.

El gaucho conocía su deber, y se apresuró a cumplirlo. Con el sombrero en la mano, rezó todas las oraciones que guardaba en su memoria desde la niñez. — ¡Pobre difunta Correa! ... Luego buscó en su cinto, a través de diversos objetos, el pañuelo anudado en cuyo interior guardaba toda su moneda.

Sacó a luz lo que poseía. Unicamente le quedaban tres pesos con algunos centavos. Durante los primeros días del viaje había tenido que pagar en algunos altos del camino, pues los habitantes de las chozas no eran simples pastores, como los del desierto, y se ayudaban para vivir dando posada a los arrieros. Le quedaba muy poco para hacer una limosna espléndida.

Pensó también con inquietud en lo que le esperaba al otro lado del desierto, cuando ya no estuviera solo y al encontrarse entre los primeros hombres renacieran otra vez las exigencias y los gastos de la vida social. Necesitaba dinero para continuar su viaje por tierra civilizada, para subsistir antes de que encontrase trabajo, y la cantidad que poseía no era suficiente.

Empezaba a olvidarse, abismado en estos cálculos, de la difunta y de todo lo que le rodeaba, cuando un personaje inesperado le hizo volver a la realidad con su inquietante aparición.

No estaba solo en el desierto. Vió al otro lado de

la fila de piedras en forma de muro un perro enorme
que gruñía, con la piel dorada cubierta de manchas
de rojo obscuro.   Vió también, al hacer un movimiento este animal, que tenía cabeza de gato, con
bigotes hirsutos y unos ojos verdes que esparcían 5
reflejos dorados.

Rosalindo conocía a esta bestia y no le inspiraba
miedo.   Era un puma que parecía dudar entre la
audacia y el temor, entre la acometividad y la
fuga.   El hombre lo espantó con un alarido feroz, 10
enviándole al mismo tiempo un peñascazo que le
alcanzó en una pata.

La fiera huyó en el primer momento, pero se
detuvo a corta distancia.   Aquel terreno lo consideraba como suyo.   Sin duda permanecía junto a 15
la tumba todo el año, por ser éste el lugar más
frecuentado en la soledad del desierto, resultándole
fácil el nutrirse con los despojos de las caravanas o el
sorprender a un hombre o a una bestia de carga en
momentos de descuido.   20

Al quedar lejos no quiso Rosalindo hostilizarle por
segunda vez.   Veía en él a un guardián de la tumba.
Hasta pensó supersticiosamente si este felino de la
altiplanicie, mezcla de león y de tigre, tendría algo
del alma de la difunta, pues en los cuentos del país 25
había oído hablar muchas veces de espíritus de
personas que continúan su existencia dentro de
cuerpos de animales.

Dejó de ocuparse del puma para seguir mirando el bote de las limosnas. Una idea digna de ser tenida en cuenta acababa de surgir en su pensamiento en el mismo instante que le distrajo la presencia de la fiera.

El estaba vivo y tenía poco dinero; en cambio la difunta Correa estaba muerta hacía años y no necesitaba comer ni le era forzoso ir a Chile como él. Aquellas limosnas iban a quedar meses y meses debajo del pedrusco, hasta que se le ocurriese venir al encargado de recogerlas. ¿ No podían hacer un negocio honrado la difunta y él ? . . .

Rosalindo no quiso aceptar ni por un instante la idea de apoderarse de este dinero. Por ser de una muerta tenía un carácter sagrado, y además representaba cierta cantidad de misas para la salvación eterna de la madre y su criatura. Pero era posible una operación de crédito entre los dos, que no resultaba completamente nueva.

Sabía por los arrieros y peatones de los Andes para lo que servían muchas veces estas tumbas con su depósito de limosnas. Como abundan las sepulturas en las diversas travesías de la Cordillera, los viandantes faltos de recursos se llevan con toda reverencia el dinero dedicado a los difuntos, pero dejando a éstos un recibo con la promesa solemne de devolverles una cantidad mayor.

Ovejero pensó que él podía hacer lo mismo. La

difunta Correa era una buena mujer y aceptaría
seguramente desde el fondo de su tumba de piedras
este préstamo. El, por su parte, siempre había sido
fiel a su palabra y además empeñaba su firma.
Lo que se llevase lo devolvería quintuplicado, y la 5
difunta iba a ganar como réditos de la operación un
gran número de misas.

Con la tranquilidad que comunica la pureza de la
intención, fué recogiendo toda la moneda depositada
en el fondo del bote. La contó: ocho pesos y 10
cuarenta centavos. Luego buscó en su cinto un
lápiz corto y romo, arrancando también un pedazo
de papel de un diario viejo de Salta.

La redacción del documento fué empresa larga y
difícil. En su niñez había figurado entre los mejores 15
alumnos de la escuela de su pueblecillo, pero siempre
consideró la ortografía como el más horripilante de
los tormentos de la juventud, a causa de la diferencia
entre letras mayúsculas y minúsculas.

En el borde blanco del periódico declaró que to- 20
maba a préstamo de la difunta Correa la expresada
cantidad, comprometiéndose a devolvérsela sobre la
misma tumba en el plazo de un año; y para hacer
más solemne su compromiso, metió en cada palabra
dos o tres mayúsculas. Después puso su firma: 25
Rosalindo Ovejero, con las letras todo lo más grandes
que le permitió la escasez del papel.

Cuando se hubo guardado el dinero en el cinto,

depositó su recibo en el fondo del bote, colocando la piedra exactamente sobre él, para que en ningún caso pudiera llevárselo el viento.

Nada le quedaba que hacer allí. Ahora que se
5 veía con más dinero para afrontar la existencia entre los hombres civilizados, deseaba salir cuanto antes del desierto.

El puma se había ido aproximando con un gruñido hipócrita, como si esperase verle de espaldas para
10 caer sobre él. Rosalindo se inclinó, enviándole otro peñascazo que le hizo huir por segunda vez de aquella tumba que consideraba como su guarida.

Continuó el gaucho su marcha. Al día siguiente vió unos guanacos salvajes que corrían por el límite
15 del horizonte. La vida vegetal y animal empezaba a reaparecer en el desierto. En los días siguientes los guanacos salieron a su encuentro formando manadas y los matorrales fueron más espesos y altos. La atmósfera resultaba más respirable; el
20 terreno iba en descenso.

A la semana siguiente el fugitivo de Salta encontró hombres y durmió en viviendas que formaban míseros pueblos.

Siguió bajando, y al fin encontró el camino que se
25 remonta a Bolivia y que en dirección opuesta iba a conducirle a la costa del Pacífico.

III

Pasó cerca de un año trabajando en las explota-
ciones salitreras establecidas por los chilenos en la
costa del Pacífico.   Vivió unas veces cerca de Antofagasta, otras en Iquique y hasta en Arica, junto
a la frontera del Perú.   5

El trabajo no era extremadamente duro y se ga-
naban buenos jornales.   Europa necesitaba abono
para sus campos, y especialmente en Alemania los
arenales del Brandeburgo se negaban a dar patatas
y remolachas si no recibían antes la nutrición del 10
ázoe solidificado en las llanuras chilenas.

Todos los pueblos vivían entonces en paz, y era
preciso aumentar la producción del suelo para que
una humanidad exuberante en demasía no se
quedase sin comer.   Llegaban vapores y veleros a 15
los puertos del Pacífico cargados de carbón y
partían semanas después llevando sus bodegas
repletas de salitre.   Miles y miles de hombres
trabajaban en el arranque de esta tierra blanca
contenedora de un excitante fertilizador.   Los 20
brazos eran pagados con generosidad y el dinero
corría abundantemente.

Rosalindo celebró como una protección de la
suerte el haber huído de su país natal, librándose
para siempre de su pobre y ruda profesión de arriero. 25

En pocas semanas ganó lo que al otro lado de los
Andes le hubiese costado un año de trabajo.
Además, su existencia era mucho más fácil y dulce
en esta tierra de emigración.

5   Hombres de diversos países trabajaban en las
salitreras, y casi todos ellos vivían sin familia,
pudiendo gastar alegremente sus considerables jornales. De aquí que, en días de fiesta, los obreros de
gustos alcohólicos se entregasen a las más desor-
10 denadas fantasías en los cafés y los despachos de
licores. No sabían cómo acabar su dinero en esta
tierra de vida improvisada y escasas diversiones.
Algunos disparaban sus revólveres escogiendo como
blanco las botellas alineadas en la anaquelería
15 detrás del mostrador. Era un lujo destrozar a tiros
las botellas de champaña traídas de Europa, pagán-
dolas luego a unos precios que hubiesen escanda-
lizado a muchos ricos. Otros, para beber un simple
vaso de vino, hacían abrir la espita de un tonel,
20 dejando que chorrease en su vaso durante mucho
tiempo lo mismo que una fuente, perdiéndose
enormes cantidades de líquido. Luego pagaban con
orgullo, delante de todos, para que se enterasen de
su vanidad.

25   Con estas fantasías y otras menos confesables
engañaban su tedio en este país abundante en
dinero pero de aspecto entristecedor. La riqueza
estaba en la profunda capa de salitre que cubría el

suelo; pero esta tierra blanca que servía para
fertilizar los campos de Europa no toleraba aquí
ninguna vegetación. Una esterilidad valiosa pero
triste rodeaba las nuevas poblaciones. El mayor
lujo de los ricos era tener en sus casas unas cuantas   5
macetas de flores. El agua para su riego había
costado tan cara como los vinos más célebres.

Las interminables recuas de mulas, al acarrear del
interior a los puertos las cargas de salitre, parecían
acordarse melancólicamente de los campos donde   10
habían nacido, con árboles, hierbas y arroyos.
En las casas inmediatas a los caminos de esta
tierra estéril, los dueños evitaban pintar sus cer-
cas de verde, pues los pobres animales, engañados
por el color, empezaban a roer los barrotes de   15
madera, tomándolos por vegetales surgidos del
suelo.

Rosalindo acabó por adquirir el mismo aspecto de
los obreros del país. Ya no quedaba nada en él del
gaucho salteño. Se había cortado las melenas y   20
transformado su traje. Además, siguió con atención, en los diversos lugares de su trabajo, las
predicaciones de algunos obreros procedentes de
Europa que hablaban contra las compañías salitreras, incitando a los compañeros a la revuelta.   25
Pero una huelga seguida de incendios y saqueos
fué sofocada inmediatamente por los soldados
chilenos con abundante empleo de ametralladoras,

lo que devolvió la prudencia a Rosalindo y a la
mayoría de sus camaradas.

Cuando llevaba ocho meses trabajando, experimentó una gran alegría al encontrarse con un
hombre de su país que deseaba regresar a Salta.

La vida de este hombre en las salitreras había sido
menos agradable y fructuosa que la de Ovejero.
Trabajó y ganó buenos jornales en los primeros
meses; pero era jugador, y todas sus ganancias se
quedaron en las llamadas casas « de remolienda ».
Al final, sus deudas y sus continuas peleas le
obligaban a abandonar el país.

Rosalindo, por ser un compatriota, atendió todas
sus peticiones de dinero. El no era jugador. Su
vicio dominante había sido siempre la bebida, y
aquí que ganaba mucho podía satisfacerlo con
largueza, lo mismo que un caballero.

Al saber que su compatriota iba a volver a Salta
por la Puna de Atacama, el gaucho, que era hombre de honor, incapaz de olvidar sus compromisos,
pensó en la antigua deuda, que le preocupaba con
frecuencia y hasta algunas noches le había quitado
el sueño.

Mientras obsequiaba a su compatriota en un café
de Antofagasta, le fué explicando su asunto.

—Tú pasarás por donde la difunta Correa, ¿ no
es eso, hermano ?... Pues bien; cuando llegues
a su sepultura, le dejas bajo la piedra estos treinta

pesos. Ella me dió ocho y unos centavos, pero hay que ser rumboso con los que nos favorecen, y además la pobre tal vez está necesitada de misas.

Pidió también a su camarada que retirase el recibo escrito en un pedazo de periódico que había dejado 5 en la tumba o que fuese en busca del encargado de recoger las limosnas para pedirle el tal documento. Los asuntos de dinero deben llevarse con limpieza, sobre todo si hay muertos de por medio. Cuando el camarada tuviese el recibo en su poder, 10 debía enviárselo por correo para su tranquilidad.

Y le entregó unos cuantos pesos más por la molestia que le pudiese ocasionar el encargo.

Transcurrieron varios meses. Rosalindo trabajaba todos los días como un obrero de buenas 15 costumbres. A pesar de que había sido hombre de pelea, evitaba las cuestiones en este mundo compuesto de gentes bravas y de todas procedencias, que para ir a ganarse el jornal llevaban siempre el cuchillo y el revólver. El deseaba únicamente que 20 le dejasen embriagarse en paz. De día trabajaba en la salitrera y de noche se emborrachaba en algún cafetín predilecto, hasta que ganaba su alojamiento tambaleándose, o lo llevaba hasta él un compañero casi a rastras. 25

De pronto se sintió enfermo. El médico, un joven recién llegado de Santiago, atribuyó su dolencia a los excesos alcohólicos, pero él creía saber mejor

que este chileno presuntuoso cuál era la verdadera
causa de su enfermedad.

Dormía mal y su sueño estaba cortado por terribles visiones. Esta vida de alucinación dolorosa había empezado para él cierta noche en que se dirigía
a su casa completamente ebrio.

Una mujer le salió al paso: una mujer enjuta de
carnes, con la tez algo cobriza y unos ojos grandes,
negros, ardientes. Iba envuelta en un manto
obscuro que había perdido su primer tinte y era del
color llamado « ala de mosca ». Agarrado a una de
sus manos marchaba un niño cuya cabeza apenas le
llegaba a las rodillas.

Rosalindo no conocía a la difunta Correa ni
jamás encontró a alguien que pudiera describírsela.
Pero al ver a esta mujer por primera vez, quedó
convencido de su identidad. Era la difunta Correa;
no podía ser otra. ¡ Aquellos ojos ! . . .¡ Aquel niño
que la acompañaba ! . . .

Se quitó el sombrero con la misma expresión
reverente que cuando había rezado ante su tumba.

— ¿ En qué puedo servirla, señora ? — dijo —.
¿ Qué desea de mí ? . . .

La mujer permaneció muda, y sus ojos redondos,
de un ardor obscuro, le miraron fijamente. Al
entrar en su casucha cerró la puerta, y la difunta,
siempre con su niño de la mano, se filtró a través de
las maderas.

Dormía Rosalindo en una pieza grande con siete compañeros más, pero aquella hembra dolorosa, como venía del otro mundo y todos los seres de allá dan poca importancia a las preocupaciones morales de la tierra, se metió entre tantos hombres, sin 5 vacilación, permaneciendo erguida junto a la cama de Ovejero.

Cada vez que éste abría los ojos la encontraba frente a él, inmóvil, rígida, mirándole con sus pupilas ardientes y fijas, no alteradas por el más leve 10 parpadeo.

A la mañana siguiente, el gaucho creyó haber atinado con la explicación de este encuentro. La pobre difunta había venido indudablemente a darle las gracias por los enormes réditos con que había 15 acompañado la devolución del préstamo. Si permanecía muda y con aquellos ojos que infundían espanto, era porque las almas en pena no pueden mirar de distinto modo.

Afirmado en esta creencia, no experimentó sor- 20 presa alguna cuando, en la noche siguiente, al re- gresar ebrio de su cafetín, tropezó con la enlutada y su niño cerca de la casa.

Por segunda vez se quitó el sombrero, gangueando sus palabras con una amabilidad de borracho. 25

—No tiene usted nada que agradecerme, señora. La palabra es palabra, y lo que siento es no haber podido enviarle más para que la digan misas. El

año que viene, cuando algún amigo mío vaya para
allá, tal vez le haga otra remesa.

Pero la mujer parecía no oírle y continuó fijando
en él sus ojos inmóviles, mientras la cara del niño —
una cara de muerto — se agitaba con el temblor de
un llanto sin lágrimas y sin ruido . . . Y la difunta le
acompañó otra vez hasta su cama, manteniéndose
inmóvil junto a ella, y desapareciendo únicamente
con las primeras luces del amanecer.

Este encuentro se fué repitiendo varias noches.
Rosalindo bebía cada vez más, viendo en el alcohol
un medio seguro de sumirse en el sueño y evitar
tales visiones; pero contra su opinión, las visitas
de la difunta se hacían más largas así como él
aumentaba su embriaguez. Algunas veces hasta
en pleno sol, cuando trabajaba en el arranque de
las rocas de salitre, la difunta surgía frente a él
durante sus minutos de descanso. En vano le
dirigía preguntas. La enlutada era muda y únicamente sabía mirarle con sus pupilas redondas y
severas, mientras el niño continuaba su eterno
llanto sin humedad y sin eco.

— Hay en este asunto algo que no comprendo —
pensaba Rosalindo —. ¿ No le habrá entregado
aquel amigazo el dinero que le di ?

Se dedicó a averiguar el paradero de su compatriota. Pensó por un momento si se habría quedado
con los pesos que le entregó para la muerta; pero

inmediatamente repelió tal sospecha. Su camarada,
aunque algo bandido y de perversas costumbres,
era muy temeroso de Dios e incapaz de ponerse en
mala situación con las ánimas del Purgatorio, a las
que tenía gran respeto y no menos miedo.   5

Al fin, un vagabundo que iba de boliche en
boliche por las diversas salitreras para robar con
sus malas artes de jugador el dinero de los trabaja-
dores, le dió noticias sobre el desaparecido, después
de repasar los recuerdos de su propia vida compli- 10
cada y aventurera. A su amigo lo habían matado
meses antes en un despacho de bebidas cerca de la
Cordillera, cuando se dirigía desde Cobija a tomar
el camino de la Puna. La cuchillada mortal había
sido por cuestiones de juego.   15

El gaucho, que no quería dudar de que la difunta
hubiese recibido su préstamo con todos los intereses,
quedó aterrado al recibir esta noticia. Empezó a
calcular los meses transcurridos desde que dejó su
recibo en la tumba del desierto. Hizo un gesto de 20
satisfacción, como si acabase de resolver un problema difícil, al convencerse de que iba transcurrido
más de un año, plazo que él mismo fijó en su papel. La difunta tenía derecho a reclamar. Ahora
comprendía sus ojos severos fijos en él y la ex- 25
presión dolorosa de aquella carita de muerto, que
lloraba y lloraba con el tormento de un hambre
del otro mundo, por faltarle el sustento de las

misas ... ¡ Y él, que despilfarraba sus jornales en
bebidas y otros vicios menos confesables, estaba re-
tardando la salvación de estos dos seres infelices
al no devolverles un dinero que necesitaban para la
5 salud de su alma ! . . .

  Deseó que llegase pronto la noche y se le apare-
ciese la difunta para darle sus explicaciones de
deudor honrado. Pero por lo mismo que su deseo
era vehemente, no pudo encontrarla en las cercanías
10 de su casucha por más vueltas que dió en torno de
ella, y eso que en la presente noche, para evitar
palabras confusas y tergiversaciones en el negocio,
había bebido muy poco. Fué cerca de la madrugada
cuando Ovejero, que había conseguido dormirse,
15 la vió al abrir sus ojos.

  —Señora, la falta no es mía; es de un amigo que
se ha dejado matar, perdiendo mi dinero. Pero yo
pagaré. Voy a buscar alguien que se encargue de
devolver el préstamo, aunque tenga que costearle los
20 gastos de viaje. Además aumentaré los intereses. . .

  No pudo seguir hablando. La difunta desa-
pareció con su niño, como si la hubiesen tran-
quilizado estas promesas. Huía tal vez igualmente
de los gritos y blasfemias de los otros obreros, que
25 habían sido despertados por Rosalindo al hablar en
voz alta. Estaban irritados contra el salteño porque
todas las noches mostraba predilección en su
borrachera por conversar con una mujer invisible.

Y esta noche, en vez de hablar buenamente, había dado gritos. Todos ellos empezaron a tener por loco a su camarada.

En mucho tiempo no volvió Ovejero a encontrarse con su acreedora. Esta ausencia le parecía natural. Las almas del otro mundo no necesitan esforzarse para conocer lo que hacen los vivos, y ella sabía que su deudor se ocupaba en devolverle el préstamo.

Trabajó horas extraordinarias, bebió menos, fué reuniendo economías, pues deseaba hacerse perdonar con su generosidad el retraso en el pago de la deuda. Al mismo tiempo buscaba un hombre que se encargase de ir a depositar la cantidad sobre la tumba del desierto.

Por más averiguaciones que hizo en los diversos campamentos salitreros y por más que escribió a los camaradas que tenía en otros puertos del Pacífico, no pudo encontrar un viajero que se propusiera volver al Norte de la Argentina siguiendo el desierto de Atacama.

— Tendré que enviar un hombre a mis expensas —pensó—. Esto será caro, pero no importa; lo principal es dormir con tranquilidad y que no se me aparezca la pobre difunta llevando el niño de la mano ...

¡ Ay, el niño, con su llanto silencioso y su carita de muerto ! ... Este era el que le aterraba más en la

lúgubre visión. La mujer le infundía respeto, pero
no miedo; mientras que solamente al recordar el
llanto extraño del hijo, sentía correr un espeluznamiento de pavor por todo su cuerpo. Era
5 necesario redoblar su trabajo para reunir el dinero
y encontrar a un hombre que lo llevase hasta la
tumba ...

Y este hombre lo encontró al fin.

IV .

Era un chileno viejo llamado señor Juanito;
10 pero las gentes del país, siempre predispuestas a
cortar las palabras, sólo dejaban dos letras del
tratamiento respetuoso a que su edad le daba
derecho, llamándole ño Juanito.

Siempre que abría su boca dejaba sumido a
15 Ovejero en una resignada humildad. Su admiración por el viejo era tan grande, que consideró
detalle de poca importancia el hecho de que no
hubiese atravesado nunca la Puna de Atacama, ni
conociera el lugar donde estaba el sepulcro de la
20 difunta Correa. Un hombre de sus méritos sólo
necesitaba unas cuantas explicaciones para hacer lo
que le encargasen, aunque fuera en el otro extremo del planeta.

Había vivido en la perpetua manía ambulatoria de algunos « rotos » chilenos, que llevan de la infancia a la muerte una existencia vagabunda. Deleitaba a Rosalindo contándole sus andanzas en el Japón, su vida de marinero a bordo de la flota turca y sus expediciones siendo niño a la California, en compañía de su padre, cuando la fiebre del oro arrastraba allá a gentes de todos los países. ¡ Lo que podía importarle a un hombre de su temple lanzarse por la Puna de Atacama, hasta dar con la tumba de la difunta Correa ! . . . Cosas más difíciles tenía en su historia, y no iba a ser la primera ni la décima vez que atravesase los Andes, pues lo había hecho hasta en pleno invierno, cuando los senderos quedan borrados por la nieve y ni los animales se atreven a salvar la inmensa barrera cubierta de blanco.

Escuchaba con impaciencia los detalles facilitados por Rosalindo, al que llamaba siempre « el cuyano », apodo que los chilenos dan a los argentinos.

— No añadas más — decía —.   Desde aquí veo con los ojitos cerrados el rumbo que hay que seguir y la sepultura de la difunta, como si no hubiese visto otra cosa en mi vida . . . Pero hablemos de cosas más interesantes, « cuyano » . . . ¿ Cuánto piensas enviar a esa pobre señora ?

El gaucho, teniendo en cuenta lo que iba a costarle el mensajero, insistía en repetir un envío de treinta pesos. Pero *ño* Juanito protestaba de la cifra, juzgándola mezquina.

— Piensa que la difunta te está aguardando hace muchos meses. ¡ A saber lo que llevará penado en
5 el Purgatorio por no haber recibido tu dinero a tiempo ! Tal vez le faltaban unas misas nada más para irse a la gloria, y tú se las has retardado ... Creo, « cuyano », que deberías rajarte hasta cincuenta pesos.

10 Rosalindo acabó por aceptar la cifra, ya que este desembolso iba a librarle de nuevos encuentros con la difunta.

Más difícil fué llegar a un acuerdo con *ño* Juanito sobre sus gastos de viaje.

15 Por menos de cien pesos no se movía de su tierra natal. El era muy patriota, y como estaba viejo, sólo por una suma decente podía correr el riesgo de que lo enterrasen fuera de Chile. Además, era justo que « el cuyano » lo indemnizara por los grandes
20 perjuicios profesionales que iba a sufrir. Y enumeró todas las tabernas, llamadas « pulperías », y todas las casas « de remolienda » donde por la noche tocaba la guitarra cantando *cuecas* y relatando cuentos verdes.

25 — Tú mismo puedes ver cómo buscan en todas partes a *ño* Juanito, y eso te permitirá apreciar el dinero que pierdo por servirte ... Pero lo hago con gusto porque me eres simpático, « cuyano ».

Y el gaucho, convencido de que no debía insistir, se dedicó a juntar la cantidad acordada para que el viaje se realizase cuanto antes.

Al fin entregó un día los ciento cincuenta pesos a ño Juanito.

— Mañana mismo — dijo el viejo — salgo para la Puna, y recto, recto, me planto no más en la tumba de esa señora. No añadas explicaciones; conozco la travesía. Antes de un mes me tienes aquí con el recibo.

Y se marchó.

Ovejero pasó unos días en plácida tranquilidad. Seguía bebiendo, pero esto no le impedía trabajar briosamente, pues le era necesario reunir nuevas economías después de permitirse el lujo de enviar un emisario especial al desierto de Atacama. Aunque volvió muchas noches a su casucha tambaleándose o apoyado en el brazo de un compañero, jamás le salía al encuentro la mujer del manto negro llevando el niño de una mano. Tampoco despertaba a sus camaradas durante la noche con los monólogos de un ensueño violento.

Transcurrió un mes sin que regresase el viejo. Rosalindo no se alarmó por esta tardanza. El tal ño Juanito era un aventurero aficionado a cambiar de tierras, y tal vez había encontrado la de Salta muy a su gusto y andaba por las casas « de alegría » de la ciudad tañendo su guitarra y haciendo bailar la

chilenita a las mestizas hermosotas. Pero al transcurrir el segundo mes sin que llegase carta, Ovejero
se mostró inquieto.

Precisamente así que perdió su tranquilidad, la
5 mujer del manto con el niño al lado volvió a apare-
cérsele. Tenía los ojos más redondos y más ardientes que antes. Su cara era más enjuta y
cobriza, como si estuviese tostada por las llamas del
Purgatorio. Y el niño... ¡ ay, el niño ! El gaucho
10 no podía mirarle sin un estremecimiento de terror.

En vano habló a gritos para que le entendiese esta
mujer que parecía sorda y muda, concentrando
toda su vida en la mirada.

— ¿ Qué ocurre, señora ?... Yo he enviado el
15 dinero. ¿ No ha visto usted a *ño* Juanito ?

Pero un estallido de maldiciones le cortó la
palabra, haciendo huir a la visión.

— ¡ Cállate, « cuyano » del demonio ! — le grita-
ban los compañeros de alojamiento —. Ya estás
20 hablando otra vez de la difunta y de la plata...
¿ Es que mataste alguna mujer allá en tu tierra,
antes de venirte aquí ?

Al día siguiente, Rosalindo estaba tan preocupado
que no acudió al trabajo.

25 — Algo pasa que yo no sé — se decía —. ¿ Ha-
brán matado a *ño* Juanito, lo mismo que mataron
al otro ?...

Como necesitaba adquirir noticias del ausente, se

fué al puerto de Antofagasta, donde el viejo chileno tenía numerosos amigos.

Le bastó hablar con uno de ellos para convencerse de que *ño* Juanito no había muerto y estaba a estas horas en pleno goce de su salud y su alegría vaga- 5 bundas. La misma persona empezó a reír cuando « el cuyano » le habló de la marcha audaz del viejo a través de la Puna de Atacama. Ya no tenía piernas *ño* Juanito para tales aventuras terrestres, y por eso sin duda había preferido embarcarse 10 con dirección al Sur en uno de los vapores chilenos que hacen las escalas del Pacífico. Según las últi- mas noticias, él y su guitarra vagaban por Valpa- raíso, para mayor delicia de los marineros que frecuentan las « casas alegres ». 15

Rosalindo lamentó que Valparaíso no estuviese más cerca, para interrumpir las *cuecas* cantadas por el viejo con una puñalada igual a la que le había he- cho huir de Salta . . . El sacrificio de los ciento cincuenta pesos resultaba inútil, y la difunta vendría 20 a turbar de nuevo sus noches con aquella presencia muda que parecía absorber su fuerza vital, deján- dole al día siguiente anonadado por una dolencia inexplicable.

Acudió fielmente la muerta a esta cita que él 25 mismo la había dado en su imaginación.

Todas las noches le esperó en el camino, entre el café y su alojamiento, deslizándose luego en éste, a

pesar de que el gaucho se apresuraba a cerrar la
puerta, dándose con ella en los talones. ¡Imposible
librarse de su presencia y de la de aquel niño, cuya
cara de muerto seguía espantándole a través de sus
5 párpados cerrados!...

— Tendré que ir yo mismo — se dijo con desesperación —. Debo hacer ese viaje, aunque me
siento enfermo y sin fuerzas. Es preciso... es
preciso.

10   Pero retardaba el momento de la partida, por
flojedad física y por la atracción de un país en el que
ganaba desahogadamente el dinero y no se sentía
perseguido por los hombres.

Acabó por familiarizarse con la terrible visión que
15 le esperaba todas las noches. Cuando por casualidad estaba menos ebrio y la mujer del manto y su
niño tardaban en presentarse, el gaucho experi-
mentaba cierta decepción.

Una noche, con gran sorpresa suya, no vió a la di-
20 funta y a su pequeño. Permaneció despierto en su
cama hasta el amanecer, aguardando en vano la
terrible visita.

— Va a venir — pensaba, encontrando incomprensible esta ausencia, mientras en torno de él
25 roncaban los compañeros exhalando un vaho
alcohólico.

La tranquilidad de la noche acabó por infundirle
un nuevo miedo, más intenso que todos los que
llevaba sufridos.

Adivinó que iba a pasar algo extraordinario, algo inconcebible, cuyo misterio aumentaba su pavor.

Y así fué.

A la noche siguiente, una mujer le esperaba en el mismo lugar donde otras veces había salido a su encuentro la difunta Correa.   Pero esta mujer no estaba envuelta en un manto negro ni la acompañaba un niño.   Avanzó sola hacia él, y al estar cerca, sacó un brazo que llevaba oculto en la espalda, mostrando pendiente de la mano una luz.

Rosalindo la reconoció, aunque no la había visto nunca.   Era la « Viuda del farolito » y al mismo tiempo era también la difunta Correa.

El brazo seco y verdoso, que parecía interminable, se extendió ante él, sirviendo de sostén a un farol rojizo que empezó a balancearse ... Y sintiendo el empujón de una fuerza irresistible, el gaucho marchó hacia su alojamiento, iluminado por la linterna danzante, que esparcía en torno un remolino de manchas sangrientas y fúnebres harapos.

Entró en la casa, y la luz tras de él.   Se tendió en la cama, y el farol quedó inmóvil ante sus ojos. Más allá de su resplandor columbró en la penumbra el rostro de la « viuda », que era el mismo de la difunta, pero no inmóvil y severo, sino maligno, con una risa devoradora.

Al fin, el hombre empezó a gritar, tembloroso de miedo:

— ¡ Yo pagaré ! ¡ Es la falta de los otros ! ...
Pero ¡ por Dios, apague el farol; que yo no vea esa
luz !

Y como en las noches anteriores, los durmientes
5 se despertaron lanzando juramentos; mas a pesar
de sus protestas, Rosalindo siguió viendo a la
« Viuda del farolito » y su terrible luz.

— ¡ Ahí ! ¡ ahí ! — gritaba despavorido, señalando
al invisible fantasma.

10 Los camaradas convinieron en la necesidad de
obligar a este loco a que buscase otro alojamiento;
pero la expulsión no impresionó gran cosa a Rosalindo. ¡ Para lo que le quedaba de vivir allí ! ...
Ya que era imposible hacer llegar hasta la tumba
15 de su acreedora el dinero prestado, iría él mismo
a pagar su deuda.

Inmediatamente abandonó el trabajo e hizo sus
preparativos de viaje. El tiempo no era propicio
para emprender la travesía de la Cordillera por el
20 desierto de Atacama. Iba a empezar el invierno.
Pero Rosalindo movía la cabeza de un modo ambiguo cuando le aconsejaban que desistiese del
viaje. Los otros no podían adivinar que su resolu-
ción no aceptaba demoras.

25 La « Viuda del farolito » era una bruja implacable,
y su aparición significaba un plazo mortal. El que
la encontraba debía perecer antes de un año. Pero
él tenía la esperanza de que si iba a pagar su deuda

inmediatamente la amenaza quedaría sin efecto.
¿ Cómo podría castigarle la bruja después de haber
cumplido su compromiso ?

La falta de voluntad, consecuencia de su embriaguez, le hizo demorar el viaje algunas semanas.   5
Sus compañeros de alojamiento toleraban que
continuase entre ellos, con la esperanza de que
partiría de un momento a otro.   Transcurrió el
tiempo sin que volvieran a presentarse la enlutada
con el niño, ni la viuda con el farol. Ovejero bebía 10
y su embriaguez no se poblaba de visiones. Pero
una noche dió un alarido de hombre asesinado que
despertó a sus camaradas.

No veía a nadie, pero unas manos ocultas en la
sombra tiraban de una de sus piernas con fuerza 15
sobrenatural. Hasta creyó oír el crujido de sus
músculos y sus huesos. A pesar de que los amigos
rodeaban su cama, las manos invisibles siguieron
tirando de la pierna, mientras él lanzaba rugidos
de suplicio.   20

En la noche siguiente se repitió la misma tortura,
acabando con la quebrantada energía del gaucho.
Sintió un terror pueril al pensar que este suplicio
podía repetirse todas las noches. Se acordaba de lo
que había oído contar sobre los tormentos que la 25
justicia aplicaba en otros siglos a los hombres. Iba
a perecer descuartizado por aquellas manos invisibles que le oprimían como tenazas, tirando de
sus miembros hasta hacerlos crujir.

No dudó ya en emprender el viaje. Necesitaba ir a la tumba del desierto, no sólo para recobrar su tranquilidad; le era más urgente aún librarse del dolor y de la muerte.

5 Malvendió todos los objetos que había adquirido en su época de abundancia, cuando no sabía en qué emplear los valiosos jornales; cobró varios préstamos hechos a ciertos amigos y de los que no se acordaba semanas antes. Así pudo comprar víveres 10 y una mula vieja considerada inútil para el acarreo del salitre.

Los dueños de las «pulperías» enclavadas en la vertiente de los Andes sobre el Pacífico le vieron pasar hacia la Puna de Atacama con su mula de- 15 crépita pero todavía animosa. Tenía la energía de los animales humildes, que hasta el último momento de su existencia aceptan la esclavitud del trabajo. En vano aquellos hombres dieron consejos al gaucho para que volviese atrás. Un viento glacial 20 soplaba en las desierta extensión de la altiplanicie. Los últimos arrieros que acababan de bajar de la Puna declaraban el paso inaccesible para los que vinieran detrás de ellos. Rosalindo seguía adelante.

Todavía encontró en los senderos de la vertiente 25 del Pacífico a un arriero boliviano, con poncho rojo y sombrero de piel, que guiaba una fila de llamas, cada una con dos paquetes en los lomos. Venía huyendo de los huracanes de la altiplanicie.

—No pase — dijo el indio —.   Créame y siga
camino conmigo.   Allá arriba es imposible que
pueda vivir un cristiano.   El diablo se ha quedado
de señor para todo el invierno.

Pero Ovejero necesitaba ir al encuentro del diablo,
para hacerse amigo de él y que no lo atormentase
más.

Siguió adelante, hasta llegar a la terrible Puna.
Entró en el inmenso desierto sin agua y sin vegetación.   Se infundía valor comparando su viaje
actual con el que había hecho dos años antes.
Ahora no iba solo.   Una mula llevaba los víveres ne-
cesarios para un mes de viaje.   Además, podía
montar en ella al sentirse cansado, por ser actualmente sus jornadas más largas que cuando pasó a
pie por estos mismo sitios . . . Pero ¡ ay ! entonces,
aunque no tenía víveres, contaba con el vigor de la
coca, o mejor dicho, con la fuerza de una juventud
sana que había ido disolviéndose allá abajo, en la
orilla del mar.

Le envolvieron los huracanes fríos de la altiplanicie, que parecían levantados por las alas de aquel
demonio glacial, señor del desierto, de que hablaba
el indio boliviano.   La mula se negaba algunas
veces a marchar, temiendo que el huracán la echase
al suelo; pero el gaucho se agarraba a su lomo para
no verse derribado igualmente por el viento y pin-
chaba al animal con la punta del cuchillo, obligán-
dola así a reanudar su trote.

— ¡ Adelante ! ¡ adelante ! — Marchaba como un sonámbulo, concentrando toda su voluntad en el deseo de llegar pronto a la tumba.

Pasó días enteros sin tocar las alforjas de víveres. No sentía hambre, y detenerse a comer representaba una pérdida de tiempo. Hacía alto al cerrar la noche para no perderse en la obscuridad, pero apenas se extendían las primeras luces del amanecer sobre este mundo desierto, reanudaba la marcha. Su pan se lo pasaba a la mula, dándole además generosamente los piensos guardados en un saco sobre las ancas del animal. Podía comerlos todos: lo importante era que continuase marchando...

Pero una mañana, en mitad de la jornada, cuando Ovejero se creía cerca de la tumba, el animal dobló sus patas y acabó por tenderse en el suelo. Fué inútil que lo golpease; y al fin, comprendiendo que no podría contar más con su auxilio, el hombre siguió adelante. Volvería al día siguiente para recoger lo que aún quedaba en las alforjas. Por el momento, lo urgente era llegar hasta la difunta Correa.

Al marchar solo, sin el resguardo proporcionado por el cuerpo de la mula, se vió envuelto en las trombas que giraban sobre la desolada inmensidad, levantando columnas de una arena cortante, polvo de rocas. Repetidas veces tuvo que tenderse, no pudiendo resistir el empuje de los torbellinos. En una de ellas, sintió que el viento tiraba de sus piernas poniéndolas verticales, mientras él se mantenía agarrado a un pedrusco.

Era tal su voluntad de avanzar que marchó a gatas, aprovechando los intervalos entre las ráfagas. 5 Hubo una larga calma, y entonces caminó verticalmente, reconociendo algunos detalles del paisaje que indicaban la proximidad del lugar buscado por él.

Consideraba como una salvación poder marchar 10 incesantemente. El frío de la altiplanicie había penetrado hasta sus huesos, dejándole yertos los brazos. En torno de su boca el aliento se convertía en escarcha. Los pelos de su bigote y de su barba se habían engruesado con una costra de hielo. Todo 15 el calor de su vida parecía concentrarse en su cabeza y sus piernas.

Ya distinguía la fila de pedruscos semejante a las ruinas de una pared. Después vió el montón que formaba la tumba y los dos maderos en cruz. 20

Empezaba a soplar de nuevo el huracán cuando llegó ante el rústico mausoleo del desierto. Pero el gaucho parecía insensible a las ferocidades de la atmósfera y de la tierra. Toda su atención la concentraba en sus ojos, y vió al pie de la cruz el 25 mismo bote que servía para recoger las limosnas, la misma piedra que ocupaba su fondo para sostenerlo, todo igual que dos años antes. Unicamente la vasija tenía su metal más oxidado y tal vez la piedra que la sujetaba no era la misma.

— ¡ Al fin ! . . . — ¡ Cómo había deseado este momento ! . . . Intentó quitarse el sombrero antes de hablar con la difunta, pero no pudo. No tenía manos, ni tampoco brazos. Pendían de sus hombros, pero ya no eran de él.

Consideró como un detalle insignificante permanecer con el sombrero calado, y quiso hablar. Pero aunque hizo un esfuerzo extraordinario, no salió de su boca el más leve sonido. Tampoco dió importancia a este accidente. Su pensamiento no estaba mudo, y bastaría para que él y la difunta se entendiesen.

— Aquí estoy, difunta Correa — dijo mentalmente —. He tardado un poco, pero no fué por mi culpa: bien lo sabe usted y su hijito. Traigo el préstamo, con los intereses que le prometí. Son cuarenta pesos . . . No he podido traer más. . . Me ha sido imposible juntar más. . .

Fué a sacarlos de su cinto para que los viese la difunta, depositándolos después bajo la piedra, en el mismo lugar donde dejó su recibo, pero sus manos le habían abandonado. Hizo un esfuerzo desgarrador, sin conseguir tampoco que sus brazos se moviesen.

¡ Muertos para siempre ! . . . La misma parálisis había empezado a extenderse por sus piernas al quedar inmóviles, sin el cálido aceleramiento de la marcha.

De pronto se doblaron y cayó de rodillas. Luego, sin saber por qué, y contra el mandato de su voluntad, que le gritaba: — ¡ No te tiendas ! ¡ no te entregues ! — se fué acostando lentamente, como si la tierra tirase de él proporcionándole una voluptuosidad dolorosa. 5

Quería dormir, pero al mismo tiempo el deseo de dejar bien claras las cuentas le hizo continuar sus explicaciones mentales. El había traído el dinero: ¿ por qué no quería aceptarlo la difunta ? 10 — Le digo, señora — continuó —, que no fué culpa mía. Me engañaron todos los que yo envié cuando era tiempo . . . Pero ¿ es que no quiere usted escucharme ? . . .

Notó repentinamente que alguien le oía. Un ser 15 viviente había surgido entre las piedras de la tumba, y avanzaba hacia él arrastrándose. Esta manera de moverse no le pareció extraordinaria. También él vivía en este momento a ras de tierra.

Como le era imposible levantar su cabeza del 20 suelo, oyó cómo se aproximaba aquel ser viviente, pero sin poder verlo. Debía ser la difunta Correa, que, apiadada de su inmovilidad, había abandonado la tumba para tomarle el dinero del cinto. Tal vez venía con ella la Viuda del farolito. 25

Escuchó también cierto ruido de dilatación, semejante al bostezo de un hambre larga y fiera. Pensó, con un estremecimiento mortal, si estas dos larvas implacables se arrastrarían hacia él para chupar su sangre, adquiriendo de este modo un nuevo vigor que les permitiera seguir apareciéndose a los hombres.

5   Algo enorme y obscuro se interpuso entre su cara y la luz del desierto invernal. El gaucho vió unos ojos redondos junto a sus propios ojos, que parecían mirarse en el fondo de sus pupilas. Se acordó de las miradas fijas y ardientes de la difunta. Estas
10 tenían el mismo fulgor amenazante, pero no eran negras, sino verdes y con reflejos dorados.

Inmediatamente sonó a un lado de su cráneo un rugido, que retumbó para él como un trueno capaz de conmover todo el desierto.

15 Se abrió ante sus pupilas un abismo invertido de color de púrpura, con espumas babeantes y erizado de conos de marfil, unos agudos, otros retorcidos. Al mismo tiempo, sobre su pecho cayeron dos columnas duras como el hueso, apretándole contra
20 la tierra, manteniéndolo en la inmovilidad de la presa vencida...

Era el puma.

EL PARÁSITO DEL TREN

—Sí — dijo el amigo Pérez a todos sus con-
tertulios de café —; en este periódico acabo de leer
la noticia de la muerte de un amigo. Sólo le vi una
vez, y sin embargo le he recordado en muchas 5
ocasiones. ¡ Vaya un amigo !

Le conocí una noche viniendo a Madrid en el tren
correo de Valencia. Iba yo en un departamento
de primera; en Albacete bajó el único viajero que
me acompañaba, y al verme solo, como había 10
dormido mal la noche anterior, me estremecí
voluptuosamente contemplando los almohadones
grises. ¡ Todos para mí ! ¡ Podía extenderme con
libertad ! ¡ Flojo sueño iba a echar hasta Alcázar
de San Juan ! 15

Corrí el velo verde de la lámpara, y el departamento quedó en deliciosa penumbra. Envuelto en
mi manta me tendí de espaldas, estirando mis
piernas cuanto pude, con la deliciosa seguridad de
no molestar a nadie. 20

El tren corría por las llanuras de la Mancha,
áridas y desoladas. Las estaciones estaban a
largas distancias; la locomotora extremaba su
velocidad, y mi coche gemía y temblaba como una

vieja diligencia.   Balanceábame sobre la espalda,
impulsado por el terrible traqueteo; las franjas de
los almohadones arremolinábanse;   saltaban las
maletas sobre las cornisas de red; temblaban los
5 cristales en sus alvéolos de las ventanillas, y un
espantoso rechinar de hierro viejo venía de abajo.
Las ruedas y frenos gruñían; pero conforme se
cerraban mis ojos, encontraba yo en su ruido nuevas
modulaciones, y tan pronto me creía mecido por
10 las olas, como me imaginaba que había retrocedido
hasta la niñez y me arrullaba una nodriza de bronca
voz.

Pensando en tales tonterías me dormí, oyendo
siempre el mismo estrépito y sin que el tren se
15 detuviera.

Una impresión de frescura me despertó. Sentí
en la cara como un golpe de agua fría. Al abrir
los ojos vi el departamento solo; la portezuela de
enfrente estaba cerrada. Pero sentí de nuevo el
20 soplo frío de la noche, aumentado por el huracán
que levantaba el tren con su rápida marcha, y al
incorporarme vi la otra portezuela, la inmediata
a mí, completamente abierta, con un hombre
sentado al borde de la plataforma, los pies afuera en
25 el estribo, encogido, con la cabeza vuelta hacia mí
y unos ojos que brillaban mucho en su cara obscura.

La sorpresa no me permitía pensar. Mis ideas
estaban aún embrolladas por el sueño. En el primer

momento sentí cierto terror supersticioso. Aquel
hombre que se aparecía estando el tren en marcha
tenía algo de los fantasmas de mis cuentos de niño.

Pero inmediatamente recordé los asaltos en las
vías férreas, los robos de los trenes, los asesinatos 5
en un vagón, todos los crímenes de esta clase que
había leído, y pensé que estaba solo, sin un mal
timbre para avisar a los que dormían al otro lado
de los tabiques de madera. Aquel hombre era seguramente un ladrón.   10

El instinto de defensa, o más bien el miedo, me
dió cierta ferocidad. Me arrojé sobre el desconocido, empujándolo con codos y rodillas; perdió
el equilibrio; se agarró desesperadamente al borde
de la portezuela, y yo seguí empujándole, pug- 15
nando por arrancar sus crispadas manos de aquel
asidero para arrojarlo a la vía. Todas las ventajas
estaban de mi parte.

— ¡ Por Dios, señorito ! — gimió con voz aho-
gada, — ¡ Señorito, déjeme usted ! Soy un hombre 20
de bien.

Y había tal expresión de humildad y angustia en
sus palabras, que me sentí avergonzado de mi
brutalidad y le solté.

Se sentó otra vez, jadeante y tembloroso, en 25
el hueco de la portezuela, mientras yo quedaba en
pie, bajo la lámpara, cuyo velo descorrí.

Entonces pude verle. Era un campesino pe-

queño y enjuto; un pobre diablo con una zamarra
remendada y mugrienta y pantalones de color
claro. Su gorra negra casi se confundía con el tinte
cobrizo y barnizado de su cara, en la que se desta-
5 caban los ojos de mirada mansa y una dentadura
de rumiante, fuerte y amarillenta, que se descu-
bría al contraerse los labios con sonrisa de estúpido
agradecimiento.

Me miraba como un perro a quien se ha salvado
10 la vida, y mientras tanto, sus obscuras manos
buscaban y rebuscaban en la faja y en los bolsillos.
Esto casi me hizo arrepentir de mi generosidad, y
mientras el gañán buscaba, yo metía mano en el
cinto y empuñaba mi revólver. ¡ Si creía pillarme
15 descuidado !

Tiró él de su faja, sacando algo, y yo le imité
sacando de la funda medio revólver. Pero lo que
él tenía en la mano era un cartoncito mugriento
y acribillado, que me tendió con satisfacción.

20   — Yo también llevo billete, señorito.

Lo miré y no pude menos de reírme.

— ¡ Pero si es antiguo ! — le dije —. Ya hace
años que sirvió . . . ¿ Y con esto te crees au-
torizado para asaltar el tren y asustar a los via-
25 jeros ?

Al ver su burdo engaño descubierto, puso la
cara triste, como si temiera que intentase yo otra
vez arrojarlo a la vía. Sentí compasión y quise

mostrarme bondadoso y alegre, para ocultar los efectos de la sorpresa, que aún duraban en mí.

— Vamos, acaba de subir. Siéntate dentro y cierra la portezuela.

— No, señor — dijo con entereza —. Yo no tengo derecho a ir dentro como un señorito. Aquí, y gracias, pues no tengo dinero.

Y con la firmeza de un testarudo se mantuvo en su puesto.

Yo estaba sentado junto a él; mis rodillas en sus espaldas. Entraba en el departamento un verdadero huracán. El tren corría a toda velocidad; sobre los yermos y terrosos desmontes resbalaba la mancha roja y oblicua de la abierta portezuela, y en ella la sombra encogida del desconocido y la mía. Pasaban los postes telegráficos como pinceladas amarillas sobre el fondo negro de la noche, y en los ribazos brillaban un instante, cual enormes luciérnagas, los carbones encendidos que arrojaba la locomotora.

El pobre hombre estaba intranquilo, como si le extrañase que le dejara permanecer en aquel sitio. Le di un cigarro, y poco a poco fué hablando.

Todos los sábados hacía el viaje del mismo modo. Esperaba el tren a su salida de Albacete; saltaba a un estribo, con riesgo de ser despedazado, corría por fuera todos los vagones buscando un departamento vacío, y en las estaciones apeábase poco antes

de la llegada y volvía a subir después de la salida,
siempre mudando de sitio para evitar la vigilancia
de los empleados, unos malas almas enemigos de
los pobres.

5   — Pero ¿ adónde vas ? — le dije —.   ¿ Por qué
haces este viaje, exponiéndote a morir despedazado ?

Iba a pasar el domingo con su familia.   ¡ Cosas
de pobres !   El trabajaba algo en Albacete y su
10 mujer servía en un pueblo.   El hambre les había
separado.   Al principio hacía el viaje a pie; toda
una noche de marcha, y cuando llegaba por la
mañana caía rendido, sin ganas de hablar con su
mujer ni de jugar con los chicos.   Pero ya se había
15 espabilado, y no tenía miedo, y hacía el viaje tan
ricamente en tren.   Ver a sus hijos le daba fuerzas
para trabajar más toda la semana.   Tenía tres:
el pequeño era así, no levantaba dos palmos del
suelo, y sin embargo le reconocía, y al verle entrar
20 tendíale los brazos al cuello.

—¿ Pero tú — le dije — no piensas que en cualquiera de estos viajes tus hijos van a quedarse sin
padre ?

El sonreía con confianza.   Entendía muy bien
25 aquel « negocio ».   No le asustaba el tren cuando
llegaba como caballo desbocado, bufando y echando
chispas.   Era ágil y sereno; un salto, y arriba; y en
cuanto a bajar, podría darse algún coscorrón contra

los desmontes, pero lo importante era no caer bajo las ruedas.

No le asustaba el tren, sino los que iban dentro. Buscaba los coches de primera, porque en ellos encontraba departamentos vacíos. ¡ Qué de aven- 5 turas ! Una vez abrió sin saberlo el reservado de señoras; dos monjas que iban dentro gritaron: — ¡ Ladrones ! —, y él, asustado, se arrojó del tren y tuvo que hacer a pie el resto del camino.

Dos veces había estado próximo, como aquella 10 noche, a ser arrojado a la vía por los que despertaban sobresaltados con su presencia; y buscando en otra ocasión un departamento obscuro, tropezó con un viajero que, sin decir palabra, le asestó un garrotazo, echándolo fuera del tren. Aquella noche sí que 15 creyó morir.

Y al decir esto señalaba una cicatriz que cruzaba su frente.

Le trataban mal, pero él no se quejaba. Aquellos señores tenían razón para asustarse y defenderse. 20 Comprendía que era merecedor de aquello y algo más; pero ¡ qué remedio, si no tenía dinero y deseaba ver a sus hijos !

El tren iba limitando su marcha, como si se aproximara a una estación. El, alarmado, co- 25 menzó a incorporarse.

— Quédate — le dije —; aún falta otra estación para llegar adonde tú vas. Te pagaré el billete.

—¡ Quia ! No, señor — repuso con candidez
maliciosa —. El empleado al dar el billete se
fijaría en mí: muchas veces me han perseguido, sin
conseguir verme de cerca, y no quiero me tomen la
5 filiación. ¡ Feliz viaje, señorito ! Es usted la más
buena alma que he encontrado en el tren.

Se alejó por los estribos, agarrado al pasamano
de los coches, y se perdió en la obscuridad, buscando sin duda otro sitio donde continuar tran-
10 quilo su viaje.

Paramos ante una estación pequeña y silenciosa.
Iba a tenderme para dormir, cuando en el andén
sonaron voces imperiosas.

Eran los empleados, los mozos de la estación y
15 una pareja de la Guardia civil que corrían en
distintas direcciones, como cercando a alguien.

—¡ Por aquí !... ¡ Cortadle el paso !... Dos
por el otro lado para que no escape ... Ahora ha
subido sobre el tren ... ¡ Seguidle !

20 Y efectivamente, al poco rato las techumbres
de los vagones temblaban bajo el galope loco de
los que se perseguían en aquellas alturas.

Era, sin duda, el « amigo », a quien habían sor-
prendido, y viéndose cercado se refugiaba en lo
25 más alto del tren.

Estaba yo en una ventanilla de la parte opuesta al
andén, y vi cómo un hombre saltaba desde la techumbre de un vagón inmediato, con la asombrosa

ligereza que da el peligro. Cayó de bruces en un
campo, gateó algunos instantes, como si la violencia del golpe no le permitiera incorporarse, y al
fin huyó a todo correr, perdiéndose en la obscuridad
la mancha blanca de sus pantalones.   5

El jefe del tren gesticulaba al frente de los perse-
guidores, algunos de los cuales reían.

— ¿ Qué es eso ? — pregunté al empleado.

— Un tuno que tiene la costumbre de viajar sin
billete — contestó con énfasis —. Ya le conocemos 10
hace tiempo: es un parásito del tren, pero poco
hemos de poder o le pillaremos para que vaya a la
cárcel.

Ya no vi más al pobre parásito. En invierno,
muchas veces me he acordado del infeliz, y le   15
veía en las afueras de una estación, tal vez azotado
por la lluvia y la nieve, esperando el tren que pasa
como un torbellino, para asaltarlo con la serenidad
del valiente que asalta una trinchera.

Ahora leo que en la vía férrea, cerca de Albacete, 20
se ha encontrado el cadáver de un hombre despedazado por el tren... Es él, el pobre parásito.
No necesito más datos para creerlo; me lo dice el
corazón. « Quien ama el peligro en él perece. »
Tal vez le faltó inesperadamente la destreza. Tal 25
vez algún viajero, asustado por su repentina
aparición, fué menos compasivo que yo y le arrojó
bajo las ruedas. ¡ Vaya usted a preguntar a la
noche lo que pasaría !

— Desde que le conocí — terminó diciendo el amigo Pérez — han pasado cuatro años.. En este tiempo he corrido mucho, y viendo cómo viaja la gente por capricho o por combatir el aburrimiento, 5 más de una vez he pensado en el pobre gañán que, separado de su familia por la miseria, cuando quería besar a sus hijos tenía que verse perseguido y acosado como alimaña feroz y desafiar la muerte con la serenidad de un héroe.

GOLPE DOBLE

Al abrir la puerta de su barraca, encontró Sènto un papel en el ojo de la cerradura . . .

Era un anónimo destilando amenazas. Le pedían cuarenta duros y debía dejarlos aquella noche en el horno que tenía frente a su barraca.

Toda la huerta estaba aterrada por aquellos bandidos. Si alguien se negaba a obedecer tales demandas, sus campos aparecían talados, las cosechas perdidas, y hasta podía despertar a media noche sin tiempo apenas para huir de la techumbre de paja, que se venía abajo entre llamas y asfixiando con su humo nauseabundo.

Gafarró, que era el mozo mejor plantado de la huerta de Ruzafa, juró descubrirles, y se pasaba las noches emboscado en los cañares, rondando por las sendas, con la escopeta al brazo; pero una mañana lo encontraron en una acequia con el vientre acribillado y la cabeza deshecha . . . y adivina quién te dió.

Hasta los papeles de Valencia hablaban de lo que sucedía en la huerta, donde al anochecer se cerraban las barracas y reinaba un pánico egoísta, buscando cada cual su salvación, olvidando al

vecino. Y a todo esto, el tío Batiste, alcalde de
aquel distrito de la huerta, echando rayos por la
boca cada vez que las autoridades, que le respe-
taban como potencia electoral, hablábanle del
5 asunto, y asegurando que él y su fiel alguacil,
el Sigró, se bastaban para acabar con aquella calamidad.

A pesar de esto, Sènto no pensaba acudir al
alcalde. ¿Para qué? No quería oír en balde
10 baladronadas y mentiras.

Lo cierto era que le pedían cuarenta duros, y si
no los dejaba en el horno le quemarían su barraca,
aquella barraca que miraba ya como un hijo próximo a perderse, con sus paredes de deslumbrante
15 blancura, la montera de negra paja con crucecitas en
los extremos, las ventanas azules, la parra sobre la
puerta como verde celosía, por la que se filtraba el
sol con palpitaciones de oro vivo; los macizos de
geranios y dompedros orlando la vivienda, conteni-
20 dos por una cerca de cañas; y más allá de la vieja
higuera el horno, de barro y ladrillos, redondo y
achatado como un hormiguero de Africa. Aquello
era toda su fortuna, el nido que cobijaba a lo más
amado: su mujer, los tres chiquillos, el par de
25 viejos rocines, fieles compañeros en la diaria batalla
por el pan, y la vaca blanca y sonrosada que iba
todas las mañanas por las calles de la ciudad despertando a la gente con su triste cencerreo y dejándose

sacar unos seis reales de sus ubres siempre hinchadas.

¡ Cuánto había tenido que arañar los cuatro
terrones que desde su bisabuelo venía regando toda
la familia con sudor y sangre, para juntar el puñado 5
de duros que en un puchero guardaba enterrados
bajo de la cama ! ¡ En seguida se dejaba arrancar cuarenta duros !... El era un hombre pacífico; toda la huerta podía responder por él. Ni
riñas por el riego, ni visitas a la taberna, ni es- 10
copeta para echarla de majo. Trabajar mucho
para su Pepeta y los tres mocosos era su única
afición; pero ya que querían robarle, sabría defenderse. ¡ Cristo ! En su calma de hombre
bonachón despertaba la furia de los mercaderes 15
árabes, que se dejan apalear por el beduíno, pero se
tornan leones cuando les tocan su hacienda.

Como se aproximaba la noche y nada tenía
resuelto, fué a pedir consejo al viejo de la barraca
inmediata, un carcamal que sólo servía para segar 20
brozas en las sendas, pero de quien se decía que
en la juventud había puesto más de dos a pudrir
tierra.

Le escuchó el viejo con los ojos fijos en el grueso
cigarro que liaban sus manos temblorosas cubiertas 25
de caspa. Hacía bien en no querer soltar el dinero.
Que robasen en la carretera como los hombres, cara
a cara, exponiendo la piel. Setenta años tenía, pero

podían irle con tales cartitas. Vamos a ver, ¿ tenía agallas para defender lo suyo ?

La firme tranquilidad del viejo contagiaba a Sènto, que se sentía capaz de todo para defender el
5 pan de sus hijos.

El viejo, con tanta solemnidad como si fuese una reliquia, sacó de detrás de la puerta la joya de la casa: una escopeta de pistón que parecía un trabuco, y cuya culata apolillada acarició devota-
10 mente.

La cargaría él, que entendía mejor a aquel amigo. Las temblorosas manos se rejuvenecían. ¡ Allá va pólvora ! Todo un puñado. De una cuerda de es- parto sacaba los tacos. Ahora una ración de postas,
15 cinco o seis; a granel los perdigones zorreros, me- tralla fina, y al final un taco bien golpeado. Si la es- copeta no reventaba con aquella indigestión de muerte, sería misericordia de Dios.

Aquella noche dijo Sènto a su mujer que esperaba
20 turno para regar, y toda la familia le creyó, acostán- dose temprano.

Cuando salió, dejando bien cerrada la barraca, vió a la luz de las estrellas, bajo la higuera, al fuerte vejete ocupado en ponerle el pistón al
25 « amigo ».

Le daría a Sènto la última lección, para que no errase el golpe. Apuntar bien a la boca del horno y tener calma. Cuando se inclinasen buscando el

« gato » en el interior . . . ¡ fuego ! Era tan sencillo,
que podía hacerlo un chico.

Sènto, por consejo del maestro, se tendió entre
dos macizos de geranios a la sombra de la barraca.
La pesada escopeta descansaba en la cerca de 5
cañas apuntando fijamente a la boca del horno.
No podía perderse el tiro. Serenidad y darle al
gatillo a tiempo. ¡ Adiós, muchacho ! A él le
gustaban mucho aquellas cosas; pero tenía nietos,
y además estos asuntos los arregla mejor uno solo. 10

Se alejó el viejo cautelosamente, como hombre
acostumbrado a rondar la huerta, esperando un
enemigo en cada senda.

Sènto creyó que quedaba solo en el mundo, que
en toda la inmensa vega, estremecida por la brisa, 15
no había más seres vivientes que él y « aquéllos »
que iban a llegar. ¡ Ojalá no viniesen ! Sonaba el
cañón de la escopeta al temblar sobre la horquilla de
cañas. No era frío, era miedo. ¿ Qué diría el viejo si
estuviera allí ? Sus pies tocaban la barraca, y al 20
pensar que tras aquella pared de barro dormían
Pepeta y los chiquitines, sin otra defensa que sus
brazos, y en los que querían robar, el pobre hombre
se sintió otra vez fiera.

Vibró el espacio, como si lejos, muy lejos, hablase 25
desde lo alto la voz de un chantre. Era la campana
del Miguelete. Las nueve. Oíase el chirrido de un
carro rodando por un camino lejano. Ladraban los

perros, transmitiendo su fiebre de aullidos de corral
en corral, y el *rac-rac* de las ranas en la vecina
acequia interrumpíase con los chapuzones de los
sapos y las ratas que saltaban de las orillas por
5 entre las cañas.

Sènto contaba las horas que iban sonando en el
Miguelete.   Era lo único que le hacía salir de la
somnolencia y el entorpecimiento en que le sumía la
inmovilidad de la espera. ¡ Las once ! ¿ No ven-
10 drían ya ?   ¿ Les habría tocado Dios en el corazón ?

Las ranas callaron repentinamente.   Por la
senda avanzaban dos cosas obscuras que a Sènto le
parecieron dos perros enormes. Se irguieron: eran
hombres que avanzaban encorvados, casi de ro-
15 dillas.

—Ya están ahí — murmuró; y sus mandíbulas
temblaban.

Los dos hombres volvíanse a todos lados, como
temiendo una sorpresa. Fueron al cañar, regis-
20 trándolo; acercáronse después a la puerta de la
barraca, pegando el oído a la cerradura, y en estas
maniobras pasaron dos veces por cerca de Sènto, sin
que éste pudiera conocerles. Iban embozados en
mantas, por bajo de las cuales asomaban las es-
25 copetas.

Esto aumentó el valor de Sènto.   Serían los
mismos que asesinaron a Gafarró. Había que matar
para salvar la vida.

Ya iban hacia el horno. Uno de ellos se inclinó, metiendo las manos en la boca y colocándose ante la apuntada escopeta. Magnífico tiro. Pero ¿ y el otro que quedaba libre ?

El pobre Sènto comenzó a sentir las angustias 5 del miedo, a sentir en la frente un sudor frío. Matando a uno, quedaba desarmado ante el otro. Si les dejaba ir sin encontrar nada, se vengarían quemándole la barraca.

Pero el que estaba en acecho se cansó de la 10 torpeza de su compañero y fué a ayudarle en la busca. Los dos formaban una obscura masa obstruyendo la boca del horno. Aquella era la ocasión. ¡ Alma, Sènto ! ¡ Aprieta el gatillo !

El trueno conmovió toda la huerta, despertando 15 una tempestad de gritos y ladridos. Sènto vió un abanico de chispas, sintió quemaduras en la cara; la escopeta se le fué, y agitó las manos para convencerse de que estaban enteras. De seguro que el « amigo » había reventado.

20

No vió nada en el horno; habrían huído; y cuando él iba a escapar también, se abrió la puerta de la barraca y salió Pepeta, en enaguas, con un candil. La había despertado el trabucazo y salía impulsada por el miedo, temiendo por su marido que 25 estaba fuera de casa.

La roja luz del candil, con sus azorados movimientos, llegó hasta la boca del horno.

Allí estaban dos hombres en el suelo, uno sobre otro, cruzados, confundidos, formando un solo cuerpo, como si un clavo invisible los uniese por la cintura, soldándolos con sangre.

5 No había errado el tiro. El golpe de la vieja escopeta había sido doble.

Y cuando Sènto y Pepeta, con aterrada curiosidad, alumbraron los cadáveres para verles las caras, retrocedieron con exclamaciones de asombro.

10 Eran el tío Batiste, el alcalde, y su alguacil, el Sigró.

La huerta quedaba sin autoridad, pero tranquila.

EN EL MAR

A las dos de la mañana llamaron a la puerta de la barraca.

— ¡ Antonio ! ¡ Antonio !

Y Antonio saltó de la cama. Era su compadre, el compañero de pesca, que le avisaba para hacerse a la mar.

Había dormido poco aquella noche. A las once todavía charlaba con Rufina, su pobre mujer, que se revolvía inquieta en la cama hablando de los negocios. No podían marchar peor. ¡ Vaya un verano ! En el anterior, los atunes habían corrido el Mediterráneo en bandadas interminables. El día que menos, se mataban doscientas o trescientas arrobas; el dinero circulaba como una bendición de Dios, y los que, como Antonio, guardaron buena conducta e hicieron sus ahorrillos, se emanciparon de la condición de simples marineros, comprándose una barca para pescar por cuenta propia.

El puertecillo estaba lleno. Una verdadera flota lo ocupaba todas las noches, sin espacio apenas para moverse; pero con el aumento de barcas había venido la carencia de pesca.

Las redes sólo sacaban algas o pez menudo; morralla de la que se deshace en la sartén. Los

atunes habían tomado este año otro camino, y
nadie conseguía izar uno sobre su barca.

Rufina estaba aterrada por esta situación. No
había dinero en casa; debían en el horno y en la
5 tienda, y el señor Tomás, un patrón retirado,
dueño del pueblo por sus judiadas, les amenazaba
continuamente si no entregaban «algo» de los
cincuenta duros con intereses que les había prestado
para la terminación de aquella barca tan esbelta
10 y tan velera que consumió todos sus ahorros.

Antonio, mientras se vestía, despertó a su hijo,
un grumete de nueve años que le acompañaba en
la pesca y hacía el trabajo de un hombre.

— A ver si hoy tenéis más fortuna — murmuró
15 la mujer desde la cama —. En la cocina encon-
traréis el capazo de las provisiones ... Ayer ya no
querían fiarme en la tienda. ¡Ay, Señor, y qué
oficio tan perro !

— Calla, mujer; malo está el mar, pero Dios
20 proveerá. Justamente vieron ayer algunos un
atún que va suelto; un «viejo» que se calcula pesa
más de treinta arrobas. ¡Figúrate si lo cogiéramos !
... Lo menos sesenta duros.

Y el pescador acabó de arreglarse pensando en
25 aquel pescadote, un solitario que, separado de su
manada, volvía, por la fuerza de la costumbre, a las
mismas aguas que el año anterior.

Antoñico estaba ya de pie y listo para partir, con

la gravedad y satisfacción del que se gana el pan a la edad en que otros juegan: al hombro el capazo de las provisiones y en una mano la banasta de los roveles, el pez favorito de los atunes, el mejor cebo para atraerles. 5

Padre e hijo salieron de la barraca y siguieron la playa hasta llegar al muelle de los pescadores. El compadre les esperaba en la barca preparando la vela.

La flotilla removíase en la obscuridad, agitando su 10 empalizada de mástiles. Corrían sobre ella las negras siluetas de los tripulantes, rasgaba el silencio el ruido de los palos cayendo sobre cubierta, el chirriar de las garruchas y las cuerdas, y las velas desplegábanse en la obscuridad como enormes 15 sábanas.

El pueblo extendía hasta cerca del agua sus calles rectas, orladas de casitas blancas, donde se albergaban por una temporada los veraneantes, todas aquellas familias venidas del interior en 20 busca del mar. Cerca del muelle, un caserón mostraba sus ventanas como hornos encendidos, trazando regueros de luz sobre las inquietas aguas.

Era el Casino. Antonio lanzó hacia él una mirada de odio. ¡ Cómo trasnochaban aquellas 25 gentes ! Estarían jugándose el dinero... ¡ Si tuvieran que madrugar para ganarse el pan !

—¡ Iza, iza, que van muchos delante !

El compadre y Antoñico tiraron de las cuerdas, y lentamente se remontó la vela latina, estremeciéndose al ser curvada por el viento.

La barca se arrastró primero mansamente sobre 5 la tranquila superficie de la bahía; después ondularon las aguas y comenzó a cabecear: estaban fuera de puntas, en el mar libre.

Al frente, el obscuro infinito, en el que parpadeaban las estrellas, y por todos lados, sobre la 10 mar negra, barcas y más barcas que se alejaban como puntiagudos fantasmas resbalando sobre las olas.

El compadre miraba el horizonte.

— Antonio, cambia el viento.

15 —Ya lo noto.

— Tendremos mar gruesa.

—Lo sé; pero ¡ adentro ! Alejémonos de todos éstos que barren el mar.

Y la barca, en vez de ir tras las otras, que seguían 20 la costa, continuó con la proa mar adentro.

Amaneció. El sol, rojo y recortado cual enorme oblea, trazaba sobre el mar un triángulo de fuego y las aguas hervían como si reflejasen un incendio.

Antonio empuñaba el timón, el compañero estaba 25 junto al mástil, y el chicuelo en la proa explorando el mar. De la popa y las bordas pendían cabelleras de hilos que arrastraban sus cebos dentro del agua. De vez en cuando, tirón y arriba un pez, que se revolvía y brillaba como estaño animado. Pero eran piezas menudas . . . nada.

Y así pasaron las horas; la barca siempre adelante, tan pronto acostada sobre las olas como saltando, hasta enseñar su panza roja. Hacía calor, y Antoñico escurríase por la escotilla para beber del tonel de agua metido en la estrecha cala.

A las diez habían perdido de vista la tierra; únicamente se veían por la parte de popa las velas lejanas de otras barcas, como aletas de peces blancos.

— ¡ Pero Antonio ! — exclamó el compadre —, ¿ es que vamos a Orán ? Cuando la pesca no quiere presentarse, lo mismo da aquí que más adentro.

Viró Antonio, y la barca comenzó a correr bordadas, pero sin dirigirse a tierra.

— Ahora — dijo alegremente — tomemos un bocado . . . Compadre, trae el capazo. Ya se presentará la pesca cuando ella quiera.

Para cada uno un enorme mendrugo y una cebolla cruda, machacada a puñetazos sobre la borda.

El viento soplaba fuerte y la barca cabeceaba rudamente sobre las olas de larga y profunda ondulación.

— ¡ *Pae!* — gritó Antoñico desde la proa —, ¡ un pez grande, *mu* grande ! . . . ¡ Un atún !

Rodaron por la popa las cebollas y el pan, y los dos hombres asomáronse a la borda.

Sí, era un atún; pero enorme, ventrudo, poderoso,
arrastrando casi a flor de agua su negro lomo de
terciopelo; el solitario tal vez de que tanto hablaban los pescadores. Flotaba poderosamente, pero
5 con una ligera contracción de su fuerte cola, pasaba de un lado a otro de la barca, y tan pronto
se perdía de vista como reaparecía instantáneamente.

Antonio enrojeció de emoción, y apresuradamente
10 echó al mar el aparejo con un anzuelo grueso como
un dedo.

Las aguas se enturbiaron y la barca se conmovió,
como si alguien con fuerza colosal tirase de ella
deteniéndola en su marcha e intentando hacerla
15 zozobrar. La cubierta se bamboleaba como si
huyese bajo los pies de los tripulantes, y el mástil
crujía a impulsos de la hinchada vela. Pero de
pronto el obstáculo cedió, y la barca, dando un
salto, volvió a emprender su marcha.

20 El aparejo, antes rígido y tirante, pendía flojo y
desmayado. Tiraron de él y salió a la superficie el
anzuelo, pero roto, partido por la mitad, a pesar de
su tamaño.

El compadre meneó tristemente la cabeza.

25 — Antonio, ese animal puede más que nosotros.
Que se vaya, y demos gracias porque ha roto el
anzuelo. Por poco más vamos al fondo.

— ¿ Dejarlo ? — gritó el patrón — . ¡ Un de-

monio ! ¿ Sabes cuánto vale esa pieza ? No está
el tiempo para escrúpulos ni miedos. ¡ A él ¡ a él !

Y haciendo virar la barca, volvió a las mismas
aguas donde se había verificado el encuentro.

Puso un anzuelo nuevo; un enorme gancho, en 5
el que ensartó varios roveles, y sin soltar el timón
agarró un agudo bichero. ¡ Flojo golpe iba a
soltarle a aquella bestia estúpida y fornida como se
pusiera a su alcance !

El aparejo pendía de la popa casi recto. La 10
barca volvió a estremecerse, pero esta vez de un
modo terrible. El atún estaba bien agarrado y
tiraba del sólido gancho, deteniendo la barca,
haciéndola danzar locamente sobre las olas.

El agua parecía hervir; subían a la superficie 15
espumas y burbujas en turbio remolino, cual si en
la profundidad se desarrollase una lucha de gigantes,
y de pronto la barca, como agarrada por oculta
mano, se acostó, invadiendo el agua hasta la mitad
de la cubierta.   20

Aquel tirón derribó a los tripulantes. Antonio,
soltando el timón, se vió casi en las olas; pero sonó
un crujido y la barca recobró su posición normal.
Se había roto el aparejo, y en el mismo instante
apareció el atún junto a la borda, casi a flor de 25
agua, levantando enormes espumarajos con su
cola poderosa. ¡ Ah, ladrón ! ¡ Por fin se ponía
a tiro ! Y rabiosamente, como si se tratara de un

enemigo implacable, Antonio le tiró varios golpes
con el bichero, hundiendo el hierro en aquella piel
viscosa. Las aguas se tiñeron de sangre y el animal
se hundió en un rojo remolino.

5 Antonio respiró al fin. De buena se habían librado: todo duró algunos segundos; pero un poco
más, y se hubieran ido al fondo.

Miró la mojada cubierta y vió al compadre al
pie del mástil, agarrado a él, pálido, pero con in-
10 alterable tranquilidad.

— Creí que nos ahogábamos, Antonio. ¡ Hasta
he tragado agua ! ¡ Maldito animal ! Pero buenos
golpes le has atizado. Ya verás como no tarda en
salir a flote.

15 — ¿ Y el chico ?

Esto lo preguntó el padre con inquietud, con
zozobra, como si temiera la respuesta.

No estaba sobre cubierta. Antonio se deslizó
por la escotilla, esperando encontrarlo en la cala.
20 Se hundió en agua hasta la rodilla: el mar la había
inundado. ¿ Pero quién pensaba en esto ? Buscó
a tientas en el reducido y obscuro espacio, sin encontrar más que el tonel de agua y los aparejos de
repuesto. Volvió a cubierta como un loco.

25 — ¡ El chico ! ¡ El chico !... ¡ Mi Antoñico !

El compadre torció el gesto tristemente. ¿ No
estuvieron ellos próximos a ir al agua ? Atolon-
drado por algún golpe, se habría ido al fondo como

una bala. Pero el compañero, aunque pensó todo
esto, nada dijo.

Lejos, en el sitio donde la barca había estado
próxima a zozobrar, flotaba un objeto negro sobre
las aguas.   5

—¡ Allá está !

Y el padre se arrojó al agua, nadando vigorosamente, mientras el compañero amainaba la vela.

Nadó y nadó, pero sus fuerzas casi le abandonaron al convencerse de que el objeto era un remo, 10
un despojo de su barca.

Cuando las olas le levantaban, sacaba el cuerpo
fuera para ver más lejos. Agua por todas partes.
Sobre el mar sólo estaban él, la barca que se aproximaba y una curva negra que acababa de surgir y 15
que se contraía espantosamente sobre una gran
mancha de sangre.

El atún había muerto . . . ¡ Valiente cosa le
importaba ! ¡ La vida de su hijo único, de su
Antoñico, a cambio de la de aquella bestia ! ¡ Dios ! 20
¿ Era esto manera de ganarse el pan ?

Nadó más de una hora, creyendo a cada rozamiento que el cuerpo de su hijo iba a surgir bajo sus
piernas, imaginándose que las sombras de las olas
eran el cadáver del niño que flotaba entre dos aguas. 25

Allí se hubiera quedado, allí habría muerto con
su hijo. El compadre tuvo que pescarlo y meterlo
en la barca como un niño rebelde.

— ¿ Qué hacemos, Antonio ?

El no contestó.

— No hay que tomarlo así, hombre. Son cosas de la vida. El chico ha muerto donde murieron
5 todos nuestros parientes, donde moriremos nosotros. Todo es cuestión de más pronto o más tarde ... Pero ahora, a lo que estamos; a pensar que somos unos pobres.

Y preparando dos nudos corredizos apresó el
10 cuerpo del atún y lo llevó a remolque de la barca, tiñendo con sangre las espumas de la estela.

El viento les favorecía, pero la barca estaba inundada, navegaba mal, y los dos hombres, marineros ante todo, olvidaron la catástrofe, y con
15 los achicadores en la mano, encorváronse dentro de la cala, arrojando paletadas de agua al mar.

Así pasaron las horas. Aquella ruda faena embrutecía a Antonio, le impedía pensar; pero de sus ojos rodaban lágrimas y más lágrimas, que, mez-
20 clándose con el agua de la cala, caían en el mar sobre la tumba del hijo.

El puertecillo estaba a la vista, con sus masas de blancas casitas doradas por el sol de la tarde.

La vista de tierra despertó en Antonio el dolor
25 y el espanto adormecidos.

— ¿ Qué dirá mi mujer ? ¿ Qué dirá mi Rufina ? — gemía el infeliz.

Y temblaba como todos los hombres enérgicos

y audaces, que en el hogar son esclavos de la familia.

Sobre el mar deslizábase como una caricia el ritmo de alegres valses. El viento de tierra saludaba a la barca con melodías vivas y alegres. Era 5 la música que tocaba en el paseo, frente al Casino. Por debajo de las achatadas palmeras desfilaban, como las cuentas de un rosario de colores, las sombrillas de seda, los sombreritos de paja, los trajes claros y vistosos de toda la gente de veraneo. 10

Los niños, vestidos de blanco y rosa, saltaban y corrían tras sus juguetes, o formaban alegres corros girando como ruedas de colores.

En el muelle se agolpaban los del oficio: su vista, acostumbrada a las inmensidades del mar, había re- 15 conocido lo que remolcaba la barca. Pero Antonio sólo miraba, al extremo de la escollera, a una mujer alta, escueta y negruzca, erguida sobre un peñasco, y cuyas faldas arremolinaba el viento.

Llegaron al muelle. ¡ Qué ovación ! Todos 20 querían ver de cerca el enorme animal. Los pescadores, desde sus botes, lanzaban envidiosas miradas; los pilletes, desnudos, de color de ladrillo, echábanse al agua para tocarle la enorme cola.

Rufina se abrió paso entre la gente, llegando 25 hasta su marido, que con la cabeza baja y una expresión estúpida oía las felicitaciones de los amigos.

— ¿ Y el chico ? ¿ Dónde está el chico ?

El pobre hombre aún bajó más su cabeza. La hundió entre los hombros, como si quisiera hacerla desaparecer, para no oír, para no ver nada.

5 — ¿ Pero dónde está Antoñico ?

Y Rufina, con los ojos ardientes, como si fuera a devorar a su marido, le agarraba de la pechera, zarandeando rudamente a aquel hombrón. Pero no tardó en soltarle, y levantando los brazos, 10 prorrumpió en espantoso alarido.

— ¡ Ay, Señor ! . . . ¡ Ha muerto ! ¡ Mi Antoñico se ha ahogado ! ¡ Está en el mar !

— Sí, mujer — dijo el marido lentamente con torpeza, balbuceando y como si le ahogaran las 15 lágrimas —. Somos muy desgraciados. El chico ha muerto; está donde su abuelo; donde estaré yo cualquier día. Del mar comemos y el mar ha de tragarnos . . . ¡ Qué remedio ! No todos nacen para obispos.

20 Pero su mujer no le oía. Estaba en el suelo, agitada por una crisis nerviosa, y se revolcaba, arañándose el rostro.

— ¡ Mi hijo ! . . . ¡ Mi Antoñico ! . . .

Las vecinas del barrio de los pescadores acudieron 25 a ella. Bien sabían lo que era aquello: casi todas habían pasado por trances iguales. La levantaron, sosteniéndola con sus poderosos brazos, y emprendieron la marcha hacia su casa.

Unos pescadores dieron un vaso de vino a Antonio, que no cesaba de llorar. Y mientras tanto, el compadre, dominado por el egoísmo brutal de la vida, regateaba bravamente con los compradores de pescado que querían adquirir la hermosa pieza. 5

Terminaba la tarde. Las aguas, ondeando suavemente, tomaban reflejos de oro.

A intervalos sonaba cada vez más lejos el grito desesperado de aquella pobre mujer, desgreñada y loca, que las amigas empujaban a casa. 10

— ¡ Antoñico ! ¡ Hijo mío !

Y bajo las palmeras seguían desfilando los vistosos trajes, los rostros felices y sonrientes, todo un mundo que no había sentido pasar la desgracia junto a él, que no había lanzado una mirada sobre 15 el drama de la miseria; y el vals elegante, rítmico y voluptuoso, himno de la alegre locura, deslizábase armonioso sobre las aguas, acariciando con su soplo la eterna hermosura del mar.

EL OGRO

En todo el barrio del Pacífico era conocido aquel endiablado carretero, que alborotaba las calles con sus gritos y los furiosos chasquidos de su tralla.

5 Los vecinos de la gran casa en cuyo bajo vivía habían contribuído a formar su mala reputación. ¡ Hombre más atroz y malhablado ! ¡ Y luego dicen los periódicos que la policía detiene por blasfemos !

Pepe el carretero hacía méritos diariamente, 10 según algunos vecinos, para que le cortaran la lengua y le llenasen la boca de plomo ardiendo, como en los mejores tiempos del Santo Oficio. Nada dejaba en paz, ni humano ni divino. Se sabía de memoria todos los nombres venerables del 15 almanaque, únicamente por el gusto de « faltarles », y así que se enfadaba con sus bestias y levantaba el látigo, no quedaba santo, por arrinconado que estuviese en alguna de las casillas del mes, al que no profanase con las más sucias expresiones. En 20 fin, ¡ un horror ! Y lo más censurable era que, al encararse con su tozudos animales, azuzándoles con blasfemias mejor que con latigazos, los chiquillos del barrio acudían para escucharle con perversa atención, regodeándose ante la fecundidad inagota- 25 ble del maestro.

Los vecinos, molestados a todas horas por aquella interminable sarta de maldiciones, no sabían cómo librarse de ellas.

Acudían al del piso principal, un viejo avaro, que había alquilado la cochera a Pepe no encontrando mejor inquilino.

— No hagan ustedes caso — contestaba —. Consideren que es un carretero, y que para este oficio no se exigen exámenes de urbanidad. Tiene mala lengua, eso sí; pero es hombre muy formal y paga sin retrasarse un solo día. Un poco de caridad, señores.

A la mujer del maldito blasfemo la compadecían en toda la casa.

— No lo crean ustedes — decía riendo la pobre mujer —; no sufro nada de él. ¡ Criatura más buena ! Tiene su geniecillo, pero ¡ ay, hija ! Dios nos libre del agua mansa ... Es de oro; alguna copita para tomar fuerzas, pero nada de ser como otros, que se pasan el día como estacas frente al mostrador de la taberna. No se queda ni un céntimo de lo que gana, y eso que no tenemos familia, que es lo que más le gustaría.

Pero la pobre mujer no lograba convencer a nadie de la bondad de su Pepe. Bastaba verle. ¡ Vaya una cara ! En presidio las había mejores. Era nervudo, cuadrado, velloso como una fiera, la cara cobriza, con rudas protuberancias y profundos surcos, los ojos sanguinolentos y la nariz aplastada, granujienta, veteada de azul, con manojos de cerdas que asomaban como tentáculos de un erizo que dentro de su cráneo ocupase el lugar del cerebro.

5 A nada concedía respeto. Trataba de « reverendos » a los machos que le ayudaban a ganar el pan, y cuando en los ratos de descanso se sentaba a la puerta de la cochera, deletreaba penosamente, con vozarrón que se oía hasta en los últimos pisos, 10 sus periódicos favoritos, los papeles más abominables que se publicaban en Madrid, y que algunas señoras miraban desde arriba con el mismo terror que si fuesen máquinas explosivas.

Aquel hombre, que ansiaba cataclismos y que 15 soñaba con « la gorda », ¡ pero muy gorda ! vivía por ironía en el barrio del Pacífico.

La más leve cuestión de su mujer con las criadas le ponía fuera de sí, y abriendo el saco de las amenazas prometía subir para degollar a todos los vecinos 20 y pegar fuego a la casa; cuatro gotas que cayesen en su patio desde las galerías bastaban para que de su bocaza infecta saliese la triste procesión de santos profanados, con acompañamiento de horripilantes profecías para el día en que las cosas fuesen rectas y 25 los pobres subiesen encima, ocupando el lugar que les corresponde.

Pero su odio sólo se limitaba a los mayores, a los que le temían, pues si algún muchacho de la vecindad pasaba por cerca de él, acogíale con una sonrisa semejante al bostezo del ogro, y extendiendo su mano callosa pretendía acariciarlo.

Como se había propuesto no dejar en paz a nadie en la casa, hasta se metía con la pobre *Loca*, 5 una gata vagabunda que ejercía la rapiña en todas las habitaciones, pero cuyas correrías toleraban los vecinos porque con ella no quedaba rata viva.

Parió aquella bohemia de blanco y sedoso pelaje, y obligada a fijar domicilio para tranquilidad de su 10 prole, escogió el patio del ogro, burlándose tal vez del terrible personaje.

Había que oír al carretero. ¿ Era su patio algún corral para que viniesen a emporcarlo con sus crías los animales de la vecindad? De un momento 15 a otro iba a enfadarse, y si él se enfadaba de veras, ¡ pum ! de la primera patada iban la *Loca* y sus cachorros a estrellarse en la pared de enfrente.

Pero mientras el ogro tomaba fuerzas para dar su terrible patada y la anunciaba a gritos cien veces 20 al día, la prole felina seguía tranquilamente en un rincón, formando un revoltijo de pelos rojos y negros, en el que brillaban los ojos con lívida fosforescencia, y coreando irónicamente las amenazas del carretero: ¡ *Miau! ¡ miau!* 25

¡ Bonito verano era aquel ! Trabajó, poco, y un calor de infierno que irritaba el mal humor de Pepe y hacía hervir en su interior la caldera de las

maldiciones, que se escapaban a borbotones por su
boca.

La gente de « posibles » estaba allá lejos, en sus
Biarritces y San Sebastianes, remojándose los pelle-
5 jos, mientras él se tostaba en su cocherón. ¡ Lástima
que el mar no se saliera, para tragarse tanto « parásito » ! No quedaba gente en Madrid y escaseaba el
trabajo. Dos días sin enganchar el carro. Si esto
seguía así, tendría que comerse con patatas a sus
10 « reverendos », a no ser que echase mano de sus
aves de corral, que era el nombre que daba a la
Loca y a sus hijuelos.

Fué en agosto cuando, a las once de la mañana,
tuvo que bajar a la estación del Mediodía para
15 cargar unos muebles.

¡ Vaya una hora ! Ni una nube en el cielo y un
sol que sacaba chispas de las paredes y parecía
reblandecer las losas de las aceras.

— ¡ Arre, valientes ! . . . ¿ Qué quieres tú, *Loca* ?
20 Y mientras arreaba sus machos, alejaba con el pie
a la blanca gata, que maullaba dolorosamente,
intentando meterse bajo las ruedas.

— ¿ Pero qué quieres, maldita ? ¡ Atrás, que te
va a reventar una rueda !
25 Y como quien hace una obra de caridad, largó
al animal tan furioso latigazo, que lo dejó arrollado
en un rincón, gimiendo de dolor.

Buena hora para trabajar. No podía mirarse a

parte alguna sin sentir irritación en los ojos; la
tierra quemaba; el viento ardía, como si todo
Madrid estuviese en llamas; el polvo parecía in-
cendiarse; paralizábanse lengua y garganta, y las
moscas, locas de calor, revoloteaban por los labios 5
del carretero o se pegaban al jadeante hocico de los
animales en busca de frescura.

El ogro estaba cada vez más irritado conforme
descendía la ardorosa cuesta, y mientras mascullaba
sus palabrotas, animaba con el látigo a los machos, 10
que caminaban desfallecidos, con la cabeza baja,
casi rozando el suelo.

¡ Maldito sol ! Era el pillo mayor de la creación.
Este sí que merecía le arreglasen las cuentas el día
de « la gorda », como enemigo de los pobres. En 15
invierno mucho ocultarse, para que el jornalero
tenga los miembros torpes y no sepa dónde están
sus manos, para que caiga del andamio o le pille el
carro bajo las ruedas. Y ahora, en verano, ¡ eche
usted rumbo ! Fuego y más fuego, para que los 20
pobres que se quedan en Madrid mueran como
pollos en asador. ¡ Hipocritón ! De seguro que no
molestaba tanto a los que se divertían en las playas
de moda.

Y recordando a tres segadores andaluces muertos 25
de asfixia, según había leído en uno de sus papeles,
intentaba en vano mirar de frente al sol y le amenazaba con el puño cerrado. ¡ Asesino !... ¡ Re-

accionario !... ¡ Lástima que no estés más abajo el
día de « la gorda » !

Cuando llegó al depósito de mercancías, detúvose
un momento a descansar. Se quitó la gorra,
5 enjugóse el sudor con las manos, y puesto a la
sombra contempló todo el camino que acababa de
atravesar. Aquello ardía. Y pensaba con terror
en el regreso, cuesta arriba, jadeante, con el sol a
plomo sobre la cabeza y arreando sin parar a
10 las caballerías, abrumadas por el calor. No era
grande la distancia de allí a su casa, pero aunque le
dijeran que en la cochera le esperaba el mismo
Nuncio, no iba. ¡ Qué había de ir !... Aun
haciéndole bueno que con tal viajecito venía
15 « la gorda », lo pensaría antes de decidirse a subir
la cuesta con aquel calor.

— ¡ Vaya ! Menos historias y a trabajar.

Y levantó la tapa del gran capazo de esparto
atado a los varales del carro, buscando su pro-
20 visión de cuerdas. Pero su mano tropezó con unas
cosas sedosas que se removían y sintió al mismo
tiempo débiles arañazos en su callosa piel.

Los gruesos dedos hicieron presa, y salió a luz,
cogido del pescuezo, un cachorro blanco, con las
25 patas extendidas, el rabo enroscado por los estre-
mecimientos del miedo y lanzando su triste *ñau-ñau*,
como quien pide misericordia.

La *Loca*, no contenta con convertir su patio en

corral, se apoderaba del carro y metía la prole en
el capazo para resguardarla del sol. ¿ No era
aquello abusar de la paciencia de un hombre? ...
Se acabó todo. Y abarcando en sus manazas a los
cinco gatitos, los arrojó en montón a sus pies. 5
Iba a aplastarlos a patadas; lo juraba, ¡ voto
a esto y lo de más allá! Iba a hacer una tortilla
de gatos.

Y mientras soltaba sus juramentos, sacábase de
la faja el pañuelo de hierbas, lo extendía, colocaba 10
sobre él aquel montón de pelos y maullidos, y
atando las cuatro puntas echó a andar con el envoltorio, abandonando el carro.

Se lanzó a todo correr por aquel camino de fuego,
aguantando el sol con la cabeza baja, jadeante y 15
echándose a pecho la cuesta que minutos antes
no quería subir, aunque se lo mandase el Nuncio.

Algo terrible preparaba. La voluptuosidad del
mal era sin duda lo que le daba fuerzas. Tal vez
buscaba subir alto, muy alto, para desde la cresta 20
de un desmonte aplastar su carga de gatos.

Pero se dirigió a su casa, y en la puerta le recibió
la *Loca* con cabriolas de gozo, olisqueando el hin-
chado pañuelo, que se estremecía con palpitaciones
de vida. 25

— Toma, perdida — dijo jadeante por el calor
y el cansancio de la carrera —; aquí tienes tus
granujas. Por esta vez pase, te lo perdono, por-

que eres un animal y no sabes cómo las gasta
Pepe el carretero.   Pero otra vez... ¡hum!...
a la otra . . .

   Y no pudiendo decir más palabras sin intercalar
5 juramentos, el ogro volvió la espalda y fué corriendo
en busca de su carro, otra vez cuesta abajo, echando
demonios contra aquel sol enemigo de los pobres.
Pero aunque el calor aumentaba, parecíale al
pobre ogro que algo le había refrescado interior-
10 mente.

LA *PAELLA* DEL *RODER*

Fué un día de fiesta para la cabeza del distrito la repentina visita del diputado, un señorón de Madrid, tan poderoso para aquellas buenas gentes, que hablaban de él como de la Santísima Providencia. Hubo gran *paella* en el huerto del alcalde; un festín pantagruélico, amenizado por la banda del pueblo y contemplado por todas las mujeres y chiquillos, que asomaban curiosos tras las tapias.

La flor del distrito estaba allí: los curas de cuatro o cinco pueblos, los alcaldes y todos los muñidores, pues el diputado era defensor del orden y los sanos principios.

Entre las sotanas nuevas y los trajes de fiesta oliendo a alcanfor y con los pliegues del arca, destacábanse majestuosos los lentes de oro y el negro chaqué del diputado; pero a pesar de toda su prosopopeya, la Providencia del distrito apenas si llamaba la atención.

Todas las miradas eran para un hombrecillo con calzones de pana y negro pañuelo en la cabeza, enjuto, bronceado, de fuertes quijadas, y que tenía al lado un pesado retaco, no cambiando de asiento sin llevar tras sí la vieja arma, que parecía un adherente de su cuerpo.

Era el famoso Quico Bolsón, el héroe del distrito,
un *roder* con treinta años de hazañas, al que miraba
la gente joven con terror casi supersticioso, recordando su niñez, cuando las madres decían para
5 hacerles callar: — ¡ Que viene Bolsón !

A los veinte años tumbó a dos por cuestión de
amores; y después, al monte con el retaco, a hacer
la vida de *roder*, de caballero andante de la sierra.
Más de cuarenta procesos estaban en suspenso,
10 esperando que tuviera la bondad de dejarse coger.
¡ Pero bueno era él ! Saltaba como una cabra,
conocía todos los rincones de la sierra, partía de un
balazo una moneda en el aire, y la Guardia civil,
cansada de correrías infructuosas, acabó por no
15 verle.

Ladrón... eso nunca. Tenía sus desplantes de
caballero; comía en el monte lo que le daban por
admiración o miedo los de las *masías*, y si salía en
el distrito algún ratero, pronto le alcanzaba su
20 retaco; él tenía su honradez y no quería cargar
con robos ajenos. Sangre... eso sí, hasta los codos.
Para él, un hombre valía menos que una piedra del
camino; aquella bestia feroz usaba magistralmente
todas las suertes de matar al enemigo: con bala;
25 con navaja; frente a frente, si tenían agallas para ir
en su busca; a la espera y emboscado, si eran tan
recelosos y astutos como él. Por celos había ido
suprimiendo a los otros *roders* que infestaban la

sierra; en los caminos, uno hoy y otro mañana, había asesinado a antiguos enemigos, y muchas veces bajó a los pueblos en domingo para dejar tendidos en la plaza, a la salida de la misa mayor, a alcaldes o propietarios influyentes.   5

Ya no le molestaban ni le perseguían. Mataba por pasión política a hombres que apenas conocía, por asegurar el triunfo de don José, eterno representante del distrito. La bestia feroz era, sin darse cuenta de ello, una garra del gran pólipo electoral 10 que se agitaba allá lejos, en el Ministerio de la Gobernación.

Vivía en un pueblo cercano, casado con la mujer que le impulsó a matar por vez primera, rodeado de hijos, paternal, bondadoso, fumando cigarros 15 con la Guardia civil, que obedecía órdenes superiores, y cuando a raíz de alguna hazaña había que fingir que le perseguían, pasaba algunos días cazando en el monte, entreteniendo su buen pulso de tirador.   20

Había que ver cómo le obsequiaban y atendían durante la *paella* los notables del distrito. — Bolsón, este pedazo de pollo; Bolsón, un trago de vino. — Y hasta los curas, riendo con un ¡ jo jo ! bondadosote, le daban palmaditas en la espalda, 25 diciendo paternalmente: — ¡ Ay, Bolsonet, qué mal eres !

Por él se celebraba aquella fiesta. Sólo por él se

había detenido en la cabeza del distrito el majestuoso don José, de paso para Valencia.   Quería tran-
quilizarle y que cesase en su quejas, cada vez más
alarmantes.

5   Como premio por sus atropellos en las elecciones,
le había prometido el indulto, y Bolsón, que se sentía
viejo y ansiaba vivir tranquilo como un labrador
honrado, obedecía al señor todopoderoso, creyendo
en su rudeza que cada barbaridad, cada crimen,
10 aceleraba su perdón.

Pero pasaban los años, todo eran promesas, y
el *roder*, creyendo firmemente en la omnipotencia
del diputado, achacaba a desprecio o descuido la
tardanza del indulto.

15   La sumisión trocóse en amenaza, y don José
sintió el miedo del domador ante la fiera que se
rebela.   El *roder* le escribía a Madrid todas las
semanas con tono amenazador.   Y estas cartas,
garrapateadas por la sangrienta zarpa de aquel
20 bruto, acabaron por obsesionarle, por obligarle a
marchar al distrito.

Había que verles, después de la *paella*, hablando
en un rincón del huerto: el diputado, obsequioso
y amable; Bolsón, cejijunto y malhumorado.

25   — He venido sólo por verte — decía don José,
recalcando el honor que le concedía con su visita —.
Pero ¿ qué son esas prisas ? ¿ No estás bien, querido
Quico ?   Te he recomendado al gobernador de la

provincia; la Guardia civil nada te dice... ¿ qué te falta ?

Nada y todo. Es verdad que no le molestaban, pero aquello era inseguro, podían cambiar los tiempos y tener que volver al monte. El quería lo prometido: el indulto, *¡ recordóns !* Y formulaba su pretensión tan pronto en valenciano como en un castellano de pronunciación ininteligible.

— Lo tendrás, hombre, lo tendrás. Está al caer; un día de éstos será.

Sonrió Bolsón con ironía cruel. No era tan bruto como le creían. Había consultado a un abogado de Valencia, que se había reído de él y del indulto. Tenía que dejarse coger, cargarse con paciencia los doscientos o trescientos años que podrían salirle en innumerables sentencias, y cuando hubiese extinguido una parte de presidio, como quien dice de aquí a cien años, podría venir el tal indulto. ¡ Recristo ! Basta de broma: de él no se burlaba nadie.

El diputado se inmutó viendo casi perdida la confianza del *roder*.

— Ese abogado es un ignorante. ¿ Crees tú que para el gobierno hay algo imposible ? Cuenta con que pronto saldrás de penas: te lo juro.

Y le anonadó con su charla; le encantó con su palabrería, conociendo de antiguo el poder de sus habilidades de parlanchín sobre aquella cabeza fosca.

Recobró el *roder* poco a poco su confianza en el
diputado.   Esperaría;   pero un mes nada más.
Si después de este plazo no llegaba el indulto,
no escribiría, no molestaría más.   El era un di-
5 putado, un gran señor, pero para las balas sólo hay
hombres.

Y despidiéndose con esta amenaza, requirió el
retaco y saludó a toda la reunión.   Regresaba a su
pueblo; quería aprovechar la tarde, pues hombres
10 como él sólo corren los caminos de noche cuando
hay necesidad.

Le acompañaba el carnicero de su pueblo, un
mocetón admirador de su fuerza y su destreza,
un satélite que le seguía a todas partes.

15 El diputado los despidió con afabilidad felina.

— Adiós, querido Quico — dijo estrechando la
mano del *roder* —.   Calma, que pronto saldrás de
penas.   Que estén buenos tus chicos; y dile a tu
mujer que aún recuerdo lo bien que me trató cuando
20 estuve en vuestra casa.

El *roder* y su acólito tomaron asiento en la tartana
de su pueblo, entre tres vecinas que saludaron con
afecto al *siñor Quico* y unos cuantos chicuelos que
pasaban las manos por el cargado retaco como si
25 fuese una santa imagen.

La tartana avanzaba dando tumbos por entre
los huertos de naranjos, cargados de flor de azahar.
Brillaban las acequias, reflejando el dulce sol de la

tarde, y por el espacio pasaba la tibia respiración
de la primavera impregnada de perfumes y rumores.

Bolsón iba contento. Cien veces le habían
prometido el indulto, pero ahora era de veras. Su
admirador y escudero le oía silencioso. 5

Vieron en el camino una pareja de la Guardia
civil, y Bolsón la saludó amigablemente.

En una revuelta apareció una segunda pareja,
y el carnicero movióse en su asiento como si le
pinchasen. Eran muchas parejas en camino tan 10
corto. El *roder* le tranquilizó. Habían concentrado
la fuerza del distrito por el viaje de don José.

Pero un poco más allá encontraron la tercera
pareja, que, como las anteriores, siguió lentamente
al carruaje, y el carnicero no pudo contenerse más. 15
Aquello le olía mal. ¡Bolsón, aún era tiempo! A
bajar en seguida; a huir por entre los campos hasta
ganar la sierra. Si nada iba con él, podía volver
por la noche a casa.

—Sí, *siñor* Quico, sí — decían las mujeres asus- 20
tadas.

Pero el *siñor* Quico se reía del miedo de aquellas
gentes.

—Arrea, tartanero . . . arrea.

Y la tartana siguió adelante, hasta que de repente 25
saltaron al camino quince o veinte guardias, una
nube de tricornios con un viejo oficial al frente. Por
las ventanillas entraron las bocas de los fusiles

apuntando al *roder*, que permaneció inmóvil y sereno, mientras que mujeres y chiquillos se arrojaban, chillando, al fondo del carruaje.

— Bolsón, baja o te matamos — dijo el teniente.

5   Bajó el *roder* con su satélite, y antes de poner pie en tierra ya le habían quitado sus armas. Aún estaba impresionado por la charla de su protector, y no pensó en hacer resistencia por no imposibilitar su famoso indulto con un nuevo crimen.

10   Llamó al carnicero, rogándole que corriese al pueblo para avisar a don José. Sería un error, una orden mal dada.

Vió el mocetón como se le llevaban a empujones a un naranjal inmediato, y salió corriendo camino 15 abajo por entre aquellas parejas, que cerraban la retirada a la tartana.

No corrió mucho. Montado en su jaco encontró a uno de los alcaldes que habían estado en la fiesta ... ¡Don José! ¿Dónde estaba don José?

20   El rústico sonrió, como si adivinara lo ocurrido ... Apenas se fué Bolsón, el diputado había salido a escape para Valencia.

Todo lo comprendió el carnicero: la fuga, la sonrisa de aquel tío y la mirada burlona del viejo 25 teniente cuando el *roder* pensaba en su protector, creyendo ser víctima de una equivocación.

Volvió corriendo al huerto, pero antes de llegar, una nubecilla blanca y fina como vedija de algodón se elevó sobre las copas de los naranjos, y sonó una detonación larga y ondulada, como si se rasgase la tierra.

Acababan de fusilar a Bolsón.

Le vió de espaldas sobre la roja tierra, con medio cuerpo a la sombra de un naranjo, ennegrecido el suelo con la sangre que salía a borbotones de su cabeza destrozada. Los insectos, brillando al sol como botones de oro, balanceábanse ebrios de azahar en torno de sus sangrientos labios.

El discípulo se mesó los cabellos. ¡ Recristo ! ¿ Así se mataba a los hombres que son hombres ?

El teniente le puso una mano en el hombro.

— Tú, aprendiz de *roder*, mira cómo mueren los pillos.

El « aprendiz » se revolvió con fiereza, pero fué para mirar a lo lejos, como si a través de los campos pudiera ver el camino de Valencia, y sus ojos, llenos de lágrimas, parecían decir: — Pillo, sí; pero más pillo es el que huye.

EL ÚLTIMO LEÓN

Apenas se reunió la junta del respetable gremio de los *blanquers* en su capilla, inmediata a las torres de Serranos, el señor Vicente pidió la palabra. Era el más viejo de los curtidores de Valencia. Muchos maestros, siendo aprendices le habían conocido igual que era ahora, con su bigote blanco en forma de cepillo, la cara hecha un sol de arrugas, los ojos agresivos y una delgadez esquelética, como si todo el jugo de su vida se hubiese perdido en el diario remojón de los pies y los brazos en las tinas del curtido.

Él era el único representante de las glorias del gremio, el último superviviente de aquellos *blanquers* honra de la historia valenciana. Los nietos de sus antiguos camaradas se habían pervertido con el progreso de los tiempos: eran dueños de grandes fábricas, con centenares de obreros, pero se verían apurados si les obligaban a curtir una piel con sus manos blandas de comerciantes. Sólo él podía llamarse *blanquer*, trabajando diariamente en su casucha, cercana a la casa gremial; maestro y obrero a un tiempo, sin otros auxiliares que los hijos y los nietos; el taller a la antigua

108

usanza, con un dulce ambiente de familia, sin amenazas de huelga ni disgustos por la cuantía del
jornal.

Los siglos habían elevado el nivel de la calle,
convirtiendo en cueva lóbrega la *blanquería* del 5
señor Vicente. La puerta por donde entraban sus
abuelos se había empequeñecido por abajo hasta
convertirse poco menos que en una ventana. Cinco
escalones descendentes comunicaban la calle con
el piso húmedo de la tenería, y en lo alto, junto a un 10
arco ojivo, vestigio de la Valencia medioeval, on-
deaban como banderas las pieles puestas a secar,
esparciendo el insoportable hedor del curtido. El
viejo no envidiaba a los « modernos » en sus despachos de comerciantes ricos. De seguro que se 15
avergonzaban al pasar por su callejón y verle, a
la hora del almuerzo, tomando el sol, arremangado
de brazos y piernas, mostrando sus flacos miembros, teñidos de rojo, con el orgullo de una vejez
fuerte que le permitía batallar diariamente con 20
las pieles.

Valencia preparaba las fiestas del centenario
de uno de sus santos famosos, y el gremio de los
blanquers, como los otros gremios históricos, quería
contribuír a ellas. El señor Vicente, con el prestigio 25
de los años, impuso su voluntad a todos los maestros. Los *blanquers* debían quedar como lo que
eran. Todas las glorias de su pasado, arrinconadas

en la capilla, habían de figurar en la procesión.
Ya era hora de que saliesen a luz, *¡ cordóns !* Y
su mirada, vagando por la capilla, parecía acariciar
las reliquias del gremio: los atabales del siglo XVI,
5 grandes como tinajas, que guardaban en sus parches
los roncos clamores de la revolucionaria Germanía;
el gran farolón de madera tallada, arrancado de la
popa de una galera; el pendón de la *blanquería*, de
seda roja, con bordados de un oro verdoso por los
10 siglos.

Todo había de salir en las fiestas, sacudiendo la
polilla del olvido: ¡ hasta el famoso león de los
blanquers !

Los « modernos » prorrumpieron en una risa
15 impía.   ¿ El león también ?... Sí; también el
león.   Para el señor Vicente era una deshonra
gremial tener olvidada a la gloriosa fiera.   Los
antiguos romances, las relaciones de fiestas que se
guardaban en el archivo de la ciudad, los ancianos
20 que habían alcanzado la buena época de los gremios
con sus fraternales camaraderías, todos hablaban
del león de los *blanquers;* pero nadie de ahora lo
conocía, y esto significaba una vergüenza para el
oficio, un robo a la ciudad.

25   Su león era una gloria tan respetable como la
Lonja de la Seda o el pozo de San Vicente.   Bien
adivinaba él la resistencia de los modernos.   Temían
cargar con el « papel » de león.   ¡ No tembléis, jó-

venes ! El, con su fardo de años, que pasaban de
setenta, reclamaba este honor.   Le pertenecía de
derecho: su padre, su abuelo, sus innumerables
tatarabuelos, todos habían sido leones, y él sentíase
capaz de ir a las manos con los que intentasen dis-   5
putarle el cargo de fiera, tradicional en su familia.

   ¡ Con qué entusiasmo narraba el señor Vicente
la historia del león y de los heroicos *blanquers !*   Un
día los piratas berberiscos de Bujía desembarcaban
en Torreblanca, más allá de Castellón, y robaban 10
la iglesia, llevándose la Custodia.   Era esto poco
antes de los tiempos de San Vicente Ferrer, pues
el entusiasta curtidor no tenía otro medio de explicar la historia que dividiéndola en dos períodos:
antes y después del Santo ... La gente, que apenas 15
si se conmovía con los frecuentes desembarcos de
piratas, enterándose como de una desgracia inevitable del rapto de muchachas pálidas, de negros
ojazos, y de chicuelos rollizos, prorrumpió en un
alarido de dolor al conocer el sacrilegio de Torre- 20
blanca.

   Las iglesias de la ciudad se cubrieron de paños
negros; las gentes andaban por las calles aullando de
dolor, golpeándose con disciplinas.   ¿ Qué estarían
haciendo aquellos perros con la hostia bendita ? 25
¿ Qué sería de la pobre e indefensa Custodia ?...
Entonces fué cuando los valientes *blanquers* entraron en escena.   ¿ No estaba la Custodia en Bujía ?

¡ Pues a Bujía por ella ! Razonaban como héroes
acostumbrados a zurrar diariamente las pieles, y
no veían inconveniente en zurrar a los enemigos de
Dios. Armaron por su cuenta una galera, me-
5 tióse en ella todo el oficio, con su vistoso pendón,
y los otros gremios, y la ciudad entera, siguieron
el ejemplo, fletando otros buques.

El señor Justicia despojóse de la gramalla roja
para cubrirse de hierro de pies a cabeza; los señores
10 regidores abandonaron los bancos de la « Cámara
dorada », abroquelando sus panzas con escamas
relucientes como las de los pescados del golfo;
los cien ballesteros de la Pluma, que escoltaban a
la *Señera*, llenaron de flechas sus aljabas, y los
15 judíos del barrio de la Xedrea hicieron magníficos
negocios vendiendo todo su hierro viejo, sin perdonar lanza roma, espada mellada o coselete he-
rrumbroso, a cambio de buenas y sonoras piezas de
plata.

20 ¡ Y allá van las galeras valencianas, con las
velas jibosas por el viento, escoltadas por un tropel
de delfines, que jugueteaban en la espuma de sus
proas !... Cuando los moros las vieron de cerca,
echáronse a temblar, arrepentidos de su irreveren-
25 cia con la Custodia, y eso que eran unos perros de
entraña dura. ¿ Valencianos, y llevando al frente a
los animosos *blanquers* ? ¡ Cualquiera les hacía cara !

La batalla duró varios días con sus noches,

según el relato del señor Vicente. Llegaban nuevas
remesas de moros, pero los valencianos, devotos y
fieros, ¡ mata que mata ! Y comenzaban ya a
sentirse fatigados de tanto despanzurrar infieles,
cuando cátate que de una montaña vecina baja un 5
león andando sobre sus patas traseras, como una
persona decente, y llevando con gran reverencia
en las delanteras la ansiada Custodia, la Custodia
robada de Torreblanca. La fiera la entregó ceremoniosamente a uno de los *blanquers*, seguramente 10
a un abuelo del señor Vicente, y así se explicaba
éste que su familia guardase durante siglos el
honor de representar al amable animal en las pro-
cesiones de Valencia.

Después sacudió la melena, dió un rugido, y a 15
éste quiero y al otro también, a zarpadas y mor-
discos, en un instante limpió el campo de morisma.

Los valencianos volvieron a embarcarse, llevando
la Custodia como un trofeo. El « prior » de los
blanquers saludó al león, ofreciéndole cortésmente 20
la casa gremial, junto a las torres de Serranos,
que podía considerar como suya. Muchas gracias;
la fiera estaba acostumbrada al sol de Africa y temía los cambios de temperatura.

Pero el oficio no era ingrato, y para perpetuar 25
el buen recuerdo del amigo con melenas que tenía
al otro lado del mar, siempre que en las fiestas de
Valencia salía la bandera de los *blanquers*, marchaba

tras ella un abuelo del señor Vicente, al son de los
tambores, cubierto de pellejos, con una carátula
que era el « vivo retrato » del respetable león, y
llevando en las manos una Custodia de madera,
5 pobre y mezquina, que hacía dudar del valor intrínseco de la de Torreblanca.

Gentes aviesas e irrespetuosas osaban afirmar
que todo era mentira en aquel suceso, con gran
indignación del señor Vicente. ¡ Envidias ! ¡ Mala
10 voluntad de los otros oficios, que no podían ostentar
una historia tan gloriosa ! Allí estaba como prueba
la capilla gremial, y en ella el farol de popa de la
nave, que los maliciosos sin conciencia afirmaban
que era de muchos siglos después, y los atabales
15 del gremio, y la gloriosa bandera, y las pieles
apolilladas del león de los *blanquers*, en las que se
habían enfundado todos sus antecesores, olvidadas
ahora detrás del altar, bajo las telarañas y el polvo,
pero que no por esto dejaban de ser tan respetables
20 y verídicas como los sillares del Miguelete.

Y sobre todo estaba su fe, ardiente, incontradecible, capaz de acoger como una ofensa de familia
la más leve irreverencia contra el león africano,
ilustre amigo del gremio.

*   *   *

25   La procesión se verificó en una tarde de junio.
Los hijos, las nueras y los nietos del señor Vicente

le ayudaron a embutirse en el « traje » de león,
sudando angustiados con sólo el contacto de aquellas
lanas teñidas de rojo. — Padre, que se va usted a
asar. — Abuelo, que se derretirá dentro de ese uniforme.

Pero el viejo, insensible a las advertencias de la
familia, agitaba con orgullo las apolilladas melenas,
pensando en sus ascendientes, y se probaba la
terrorífica carátula, un embudo de cartón que
imitaba, con un parecido remoto, las mandíbulas
de la fiera.

¡ Qué tarde de triunfos ! Las calles repletas de
gente; los balcones adornados con tapices, y sobre
ellos filas de sombrillas multicolores, defendiendo
del sol las caras bonitas; el suelo cubierto de mirto
y arrayán, una alfombra verde y olorosa, cuyo
perfume parecía ensanchar los pulmones.

Abrían la marcha los *banderolas*, con barbas de
cáñamo, corona mural y dalmáticas listadas,
llevando en alto los valencianos estandartes con
enormes murciélagos y tamañas *L L* junto al escudo;
después, al son de las dulzainas, trotaban las com-
parsas de indios bravos, pastorcillos de Belén, cata-
lanes y mallorquines; luego pasaban los enanos
con monstruosas cabezotas, repiqueteando las
castañuelas al compás de una marcha morisca;
tras ellos los gigantones del Corpus, y por fin, las
banderas de los gremios; una fila interminable de

banderas rojas, obscurecidas por los años, y tan
altas, que sus remates sobrepasaban los primeros
pisos.

¡ Plom ! *¡ Rotoplom !*, gruñían los tambores de
5 los *blanquers*, instrumentos de una sonoridad
bárbara, tan grandes, que con su peso hacían
marchar encorvados a los que golpeaban sus parches.
¡ Plom ! *¡ Rotoplom !*, sonaban roncos, amenaza-
dores, con salvaje gravedad, como si aun marcasen
10 el paso de los tercios revolucionarios de las Germanías, saliendo al encuentro del joven caudillo del
Emperador, aquel don Juan de Aragón, duque de
Segorbe, que sirvió a Víctor Hugo de modelo para
el romántico personaje de *Hernani*.   *¡ Plom !*
15 *¡ Rotoplom !* La gente corría, se empujaba para
ver mejor el paso de los *blanquers*, prorrumpiendo
en risas y gritos. ¿ Qué era aquello ? ¿ Un mono ?
. . . ¿ Un salvaje ?. . . ¡ Ay ! La fe del pasado hacía reír.

20   Los jóvenes del oficio, despechugados y en mangas
de camisa, llevaban por turno la pesada bandera,
haciendo suertes de equilibrio, sosteniéndola en la
palma de una mano o sobre los dientes, al compás
de los redobles.

25   Los maestros ricos llevaban los cordones de
honor, las bridas de la bandera, y detrás de ellos
marchaba el león, el glorioso león de los *blanquers*,
que ya nadie conocía: y no marchaba de cualquier

modo, sino dignamente, como lo aconsejaban las
venerables tradiciones, como el señor Vicente había
visto marchar a su padre, y éste al abuelo: siguiendo
el ritmo de los tambores, haciendo una reverencia
a cada paso, tan pronto a la derecha como a la 5
izquierda, agitando la Custodia a guisa de abanico,
como una fiera cortés y bien criada, que sabe los
respetos debidos al público.

Los labriegos venidos a la fiesta abrían los ojos
con asombro; las madres le señalaban con un 10
dedo para que se fijasen en él sus chiquitines;
pero éstos, enfurruñados, se abrazaban a sus cuellos,
ocultando la cabeza para soltar lagrimones de
terror.

Cuando la bandera hacía un alto, el glorioso 15
león defendíase con las patas traseras de la nube
irrespetuosa de pilletes que le rodeaba, intentando
arrancar algunas guedejas de su apolillada melena.
Otras veces la fiera miraba a los balcones para
saludar con la Custodia a las muchachas bonitas, 20
que se reían del mamarracho. Hacía bien el señor
Vicente: por muy león que se sea, hay que mostrarse
galante con el bello sexo.

El público abanicábase para encontrar una
frescura momentánea en la ardorosa atmósfera; 25
los horchateros iban entre la muchedumbre pro-
firiendo gritos, llamados de todas partes y sin saber
adónde acudir; los portadores de la bandera y los

tamborileros se limpiaban el sudor a la puerta de
todos los cafetines y acababan por meterse en ellos
para refrescar.

Pero el león siempre en su puesto. Se le re-
5 blandecía el cartón de las mandíbulas; caminaba
con cierta pereza, apoyando la Custodia en las
lanas del vientre, sin ganas ya de hacer la reverencia
al público.

Los del oficio aproximábanse a él con gesto
10 zumbón:

— ¿ *Cóm va això, so Visènt*?

Y el *so Visènt* rugía indignado desde el fondo
de su embudo de cartón. ¿ Cómo había de ir ?
Muy bien; él era capaz de seguir dentro de sus
15 lanas, sin faltar al « papel », aunque la procesión
durase tres días. Eso de cansarse era para los
jóvenes. E irguiéndose a impulsos del orgullo,
continuaba haciendo la reverencia y marcando el
paso con el vaivén de su Custodia de palo.

20   Tres horas duró el desfile. Cuando el pendón
del oficio volvió a la Catedral comenzaba a anochecer.

¡ *Plom* ! ¡ *Rotoplom* ! La gloriosa bandera de los
blanquers volvía a su casa gremial detrás de los
25 tambores. El arrayán de las calles había desaparecido bajo el paso de la procesión. Ahora el
suelo estaba cubierto de gotas de cera, hojas de
rosa y chispas de talco. El litúrgico perfume del

incienso flotaba en el ambiente. ¡ *Plom!* ¡ *Roto-plom!* Los tambores estaban cansados; los chavales, forzudos portadores de la bandera, jadeaban, sin ganas ya de intentar proezas de equilibrio; los respetables maestros agarrábanse a los cordones 5 del pendón, como si éste les remolcase, quejándose de las botas nuevas y de sus juanetes; pero el león, el fatigado león (¡ ah, fiera fanfarrona !), que a veces parecía próximo a tenderse en el suelo, todavía se encabritaba para asustar al paso con un 10 rugido a los matrimonios burgueses que tiraban de una ristra de chiquillos deslumbrados por la procesión.

¡ Mentira ! ¡ Pura fachenda ! El señor Vicente sabía cómo se encontraba dentro de sus pieles. 15 Pero a nadie obligan a « hacer » de fiera, y el que se presta a ser león debe serlo hasta el fin.

En su casa, al caer sobre el sofá como un fardo de lanas, le rodearon hijos, nueras y nietos, apresurándose a despojarle de la carátula. Apenas reco- 20 nocieron su cara, congestionada y roja, que paracía manar agua por todos los surcos de sus arrugas.

Intentaron quitarle las lanas; pero otra cosa le urgía a la fiera, pidiéndola con voz sofocada. Quería beber; se asfixiaba de calor. Inútil fué 25 que la familia protestase, hablando de enfermedades. ¡ *Cordónes !* El necesitaba beber en seguida. ¿ Y quién osa resistir a un león enfurecido ?...

Le trajeron del café más cercano un mantecado en copita azul; un mantecado valenciano, de melosa dulzura e intenso perfume, destilando gotas de zumo blanco de su torcida caperuza.

5 ¡ Pero mantecaditos a un león ! *¡ Haaam !* Se lo tragó de golpe, ¡ y como si nada ! La sed, el calor, le agobiaban de nuevo, y rugía pidiendo otros refrescos.

La familia, por economía, pensó en la horchata
10 de un cafetín cercano. A ver; que le trajesen un jarro lleno. Y el señor Vicente bebió y bebió hasta que fué innecesario quitarle las pieles. ¿ Para qué ? Una pulmonía doble acabó con él en pocas horas. El glorioso y peludo « uniforme » de la fa-
15 milia le sirvió de mortaja.

Así murió el león de los *blanquers;* el último león de Valencia.

Y es que la horchata resulta mortal para las fieras ... ¡ Veneno puro !

NOTES

NOTES

Page 3. — 21. The subject of **venciese** is **el Niño Jesús** (line 16).

4. — 12. The *gauchos* of Argentina have a great variety of folk songs, usually sad and mournful, which they sing to the accompaniment of a guitar. Some of the most common of these are mentioned here — the *décima, endecha* and *triste.* Frequently the words are improvised and form either a narration of the exploits of some cowboy or simple praise of a fair lady. At times a " contest " is held in which one singer improvises a verse and his opponent answers, continuing until the ingenuity of one or the other is exhausted.

The dances *zamacueca, refalosa, mediacaña* and *gato* are danced to a series of stanzas sung by a musician who also plays the guitar. A man and a woman take their place in the center of a group of admirers and, with either castanets or a handkerchief in their hand, represent a miniature love drama. Stamping their feet from time to time, one advances and the other retreats, feigning pursuit, disdain or indifference. This " courtship " concludes with the surrender of the lady and the lover kneeling at her feet in token of submission. After this, another pair take up the dance in the same manner.

23. **solos,** *of their own accord.*

28. **de los que,** *of the sort that.*

5. — 19. **Tomá = Tomad.** In Argentina **vos** (*you*), which requires a verb in the second person plural, is frequently used in familiar address. The speaker is here mentally supplying **vos** with the first verb and **tú** with the others.

19. **cómpralo de los más grandes,** *buy one of the largest kind.*

6. — 5. **lo mucho,** *how much.*

7. — 9. **espuelas.** The Argentine and Chilean cowboys wear enormous rowel spurs in riding horseback.

21. **caballo de las Musas,** Pegasus, a mythological winged horse. The association of this animal with the Muses dates from Boiardo's Italian romance, the *Orlando Innamorato,* 1495.

28. **le puso,** *gave the name.*

8. — 21. **en la época que,** *in the time when.*

22. **República Argentina.** In 1810 Argentina rebelled against the decrees of Napoleon, whose army had occupied Spain. Independence was formally declared by her on July 9, 1816.

9. — 20. **rosa,** *i.e.* de color de rosa.

11. — 18. **por ser jóvenes,** *since they were young.*

13. — 16. **fuese el que fuese,** *whatever it might be.*

15. — 12. **salitreras.** The chief source of the world's supply of nitrate is Northern Chile. The mineral is easily extracted from beds several feet in thickness and almost the entire output shipped to other countries.

17. — 1. **de ayudante,** *as assistant.*

23. — 15. **mal de la Puna,** an illness caused by the rarefaction of the air at great altitudes. Its symptoms are nausea, fever, and bleeding at the nose or ears. It is especially dangerous to people suffering from high blood pressure.

29. — 26. **con las letras todo lo más grandes que,** *with letters as large as.*

34. — 3. **Cuando llevaba ocho meses trabajando,** *After he had worked for eight months.*

16. **y aquí que,** *and here where.*

26. **Tú pasaras por donde la difunta Correa,** *You will pass by* (*the place*) *where the deceased Correa* (*is*).

28. Rosalindo evidently forgot that he promised Correa five times the amount borrowed!

35. — 3. **necesitada de misas,** *in need of masses.*

40. — 8. por lo mismo que, *for the very reason that.*

11. y eso que, *and this was all the more surprising because.*

43. — 6. siendo niño, *when he was a child.*

8. ¡ Lo que podía importarle, *What could it matter to.*

22. con los ojitos cerrados, *With my eyes tightly closed.*
In spite of the propensity of the Chileans to shorten words
(**nada** to **naa**, **más** to **ma**, etc.) they also have a decided tendency to lengthen words by affixes (**hasta lueguito, amiguito,**
etc.) thereby adding a slight emphasis.

44. — 4. ¡ A saber lo que llevaría penado, *Who knows what
she may have suffered.*

8. deberías rajarte, *You ought to " fork over."*

46. — 25. ¿ Habrían matado, *Do you suppose they have
killed . . . ?*

48. — 2. dándose con ella en los talones, *shutting the door
in her face.*

49. — 12. Viuda del farolito, see page 6, line 20.

50. — 13. ¡ Para lo que le quedaba de vivir allí ! *(What did
a change matter) considering the short time he was to remain in
that place !*

52. — 27. dos paquetes. The llama will carry only a limited
amount of weight, which is distributed in two small bundles,
fixed on each side of its back. If this weight is excessive the
animal will lie down and refuse to move.

56 — 7. no eran de él, *did not belong to him.*

59. — 14. ¡ Flojo sueño iba a echar, *I was going to have a
fine sleep.*

62. — 3. se confundía con, *blended with.*

26. puso la cara triste, *became sad.*

63. — 3. Vamos, acaba de subir, *Come, get inside.*

64. — 8. ¡ Cosas de pobres ! *A poor man's affair !*

18. no levantaba dos palmos del suelo, *he held his hand
about eighteen inches from the floor.*

65. — 15. Aquella noche sí que creyó morir, *That night he certainly thought he was going to get killed.*

67. — 11. poco hemos de poder, *we are not much good.*

28. ¡ Vaya usted . . . lo que pasaría ! *Who knows what may have happened !* (Lit. *"Go ask the night what could have happened ! "*)

69. — 2. Sènto. Note the tendency of the folk of the *huerta* to use nicknames: Sènto, for Vicente or Visènt; Gafarró (green-finch), Sigró (chick-pea), etc.

19. y adivina quien le dió, *and guess who did it, if you can !*

70. — 28. dejándose sacar . . . de sus ubres siempre hinchadas, *letting him make a peseta and a half out of the milk she gave.* (Lit. *" Letting six reales be extracted from her bag which was always full."*)

71. — 7. ¡ En seguida se dejaba arrancar cuarenta duros ! *Just watch him hand over forty dollars!* (Ironical)

22. había puesto más de dos . . . , *had made more than two " bite the dust."*

72. — 1. podían irle con tales cartitas, *let them come to him with letters like that.* (Ironical)

20. turno. Certain hours are assigned for irrigation, at which time the farmer may open the sluice gate in the general irrigation canal and let the water into his field. Near Valencia the hours at night are sounded over the plain by the bell of the Miguelete.

75. — 18. se le fué, *flew out of his hands.*

77. — 13. El día que menos, *On the poorest day.*

25. de la que, see note to page 4, line 28.

82. — 27. Por poco más vamos al fondo, *A little more and we would have gone to the bottom.*

83. — 7. Flojo golpe iba a soltarle, *He would give him a fine blow.*

27. **Por fin se ponía a tiro,** *Finally he let himself come within reach.*

84. — 5. **De buena se habían librado,** *They had had a narrow escape.*

85. — 18. **Valiente cosa le importaba !** *A lot it mattered to him !*

86. — 7. **a lo que estamos,** *let's look out for what we have at hand.*

88. — 15. **donde su abuelo,** *where his grandfather* (*is*).

90. — 7. **Hombre más atroz,** *Was there ever a more atrocious man !*

17. **por arrinconado ... en alguna de las casillas del mes,** *however well hidden he might be in some little nook in the calendar.*

91. — 4. **al del piso principal,** *to the man on the first floor.*

16. **¡ Criatura más buena !** Compare note to page 90, line 6.

17. **Dios nos libre de agua mansa.** The complete proverb is " Del agua mansa me libre Dios, que de la brava (raging) me libraré yo," meaning that persons of calm exterior are the most rabid when aroused. Compare the English " Still waters run deep."

21. **No se queda ... y eso que,** *He doesn't spend a cent of his earnings there and this is all the more surprising since ...*

93. — 13. **Había que oír,** *You should have heard.*

94. — 3. **gente de « posibles »,** *likely patrons.*

96. — 13. **¡ Qué había de ir !** *Why should he go!*

13. **Aun haciéndole bueno que,** *Even supposing that.*

99. — 15. **con los pliegues del arca,** *i e.* showing that they had been put away for some time.

100. — 16. **Tenía sus desplantes ...** *He had his own ideas of gentlemanly conduct.*

103. — 9. Está al **caer; un** día de **éstos** será, *It's about time for it; it will come along one of these days.*

104. — 18. Que estén **buenos,** *I hope they continue to be well.*

19. lo bien, *how well.*

105. — 18. Si nada iba con él, *If nothing happened to him.*

108. — 8. la cara . . . **arrugas,** *his face a mass of wrinkles.*

109. — 9. comunicaba la calle con . . ., *led to the street from . . .*

112. — 10. Cámara dorada. This apparently refers to a room in the Audiencia, or Palacio de Justicia of Valencia, in which the secretaría (secretary's office) has a gilded ceiling. This building was erected in the sixteenth century.

25. y eso que, See note to page 40, line 11.

27. ¡ Cualquiera les hacía cara ! *Who could withstand them!*

113. — 15. a éste quiero y al otro también, (*as if he were saying*) *I want this one and that other too.*

20. ofreciéndole . . . la casa gremial, *telling him he would be most welcome in the guild's headquarters.* Compare the expression of courtesy Aquí tiene Ud. su casa, meaning, *I shall be glad to have you call again at any time.*

115. — 21. The arms of the city of Valencia are the four bars of Catalonia with the figure of a bat, indicative of vigilance. To the right and left is a capital L meaning " dos veces leal " (*twice loyal*). Permission to use this motto was granted by the kings of Aragon in memory of the various sieges which the city withstood at different times.

116. — 12. Emperador, Carlos V, during whose reign (1516–1566) the *Germanías* rebelled.

12. Juan de Aragón. " The prototype of *Hernani* is probably an impostor, who in the year 1522 played a prominent part in the insurrections at Valencia, and who claimed to be the son of the infante John, eldest son of Ferdinand and Isabella." Matzke, Introduction to *Hernani* (Heath), p. XIX.

117. — 22. **por muy león que se sea,** *However much of a lion one may be.*

118. — 11. *¿ Cóm va això, so Visènt ?* = **¿ Cómo va eso, señor Vicente ?**

120. — 6. **¡ y como si nada !** *As if it were nothing at all !*

18. **Y es que,** *The fact is that.*

VOCABULARY

ABBREVIATIONS

adj., adjective   *fig.*, figurative
adv., adverb   *l.*, line
Amer., American   *m.*, masculine
Cat., Catalan   *p.*, page
cf., compare   *pl.*, plural
coll., colloquial   *p. p.*, past participle
dim., diminutive   *S. A.*, South American
f., feminine   *Val.*, Valencian
fam., familiar

VOCABULARY

A

a at, to, in, of, from, **into**

abajo *adv.* down, below; **más — lower down

abandonar to abandon, leave

abanicar to fan

abanico *m.* fan

abarcar to clasp

abierto, –a (*p. p. of* **abrir**) open

abismar to depress, sink

abismo *m.* abyss

abogado *m.* lawyer

abominable abominable

abono *m.* fertilizer

abrigo *m.* shelter

abrir to open

abroquelar to cover (*as a protection*)

abrumar to crush, overwhelm

abrupto, –a rugged, steep

absoluto, –a absolute

absorber to absorb

abuelo *m.* grand father

abundancia *f.* abundance

abundantemente abundantly, in abundance

abundar to abound

aburrimiento *m.* weariness

abusar to abuse; to impose upon

acabar to finish; to consume; **— de** to have just; **— por** to finally (do something)

acantonar to canton, quarter troops

acariciar to caress

acarrear to cart, carry in a cart

acarreo *m.* carting

accidente *m.* accident

acecho *m.* **en —** in ambush, waiting

aceleramiento *m.* hastening

acelerar to hasten

aceptar to accept

acequia *f.* irrigating canal

acera *f.* sidewalk

acercar to approach

acertado, –a fit, proper

acoger to admit, receive; to greet

acólito acolyte; assistant

acometividad *f.* aggressiveness

acompañamiento *m.* accompaniment; retinue

acompañar to accompany

aconsejar to advise, counsel

acordar to resolve; to agree; —se de to remember

acosar to pursue closely; to harass

acostarse to lie down; to list (*of a ship*)

acostumbrar to accustom

acreedor, –ra creditor

acribillar to riddle with holes

activo, –a active; brisk

actual *adj.* actual; present

actualmente now, at the present time

acudir to assist; to run up; to go; to resort to

acuerdo *m.* agreement; de — con in accordance with

achacar to impute, attribute

achatar to flatten

achicador scoop (*for bailing boats*)

adelante on, farther off, ahead; en — from then (there) on

ademán *m.* demeanor

además furthermore

adentro within; ¡ Adentro ! Onward !; mar — toward the open sea

adherente closely united; *m.* adherent, follower

adiós good-bye

adivinar to guess

administrador, –ra administrator

admiración admiration

admirador, –ra admirer

admitir to admit

adobe *m.* adobe, sun-dried brick

adolescencia *f.* adolescence

adónde where, whither

adormecer to lull asleep, calm

adormecido, –a sleepy, drowsy

adornar to adorn

adornos *m. pl.* trappings, decorations

adosar to lean against

adquirir to acquire

advertencia *f.* warning

afabilidad *f.* affability

afecto, *m.* affection

afición *f.* affection

aficionado, –a fond of

afirmar to make fast, fix; to affirm, assert

afrontar to meet

afuera outside; **afueras** *f. pl.* environs

agalla *f.* gill; agallas courage

agarrar to grasp, seize, catch

ágil agile, nimble

agitar to agitate; to wave; to move

aglomeración *f.* agglomeration, crowding

aglomerar to heap upon, pile upon

agobiar to bend down; (*fig.*) to oppress

agolparse to crowd, throng

Agosto *m.* August

agradable agreeable, pleasing

agradecer to thank

agradecimiento *m.* gratitude

agresivo, -a aggressive

agriar to make sour; to exasperate

agrupar to group

agua *f.* water; entre dos aguas half submerged

aguantar to bear, endure

aguardar to wait for

aguardiente *m.* brandy

agudo, -a sharp

aguileño, -a aquiline

agujero, *m.* hole

ahí there, yonder

ahogar to choke, stifle; to drown

ahora now

ahorrillo *m.* little saving

ahorro *m.* saving

ahuyentar to put to flight

aire *m.* air

aislar to isolate

ajeno, -a another's, of another

ala *f.* wing, strip; color — de mosca rusty black

alarido *m.* shout, cry

alarmante alarming

alarmar to alarm

Albacete *capital of a province of the same name in southeastern Spain,* 174 *miles from Madrid*

albergar to lodge

alborotar to disturb

alcalde *m.* mayor

alcance *m.* reach; dar alcance a to overtake, catch

alcanfor *m.* camphor

alcanzar to overtake, hit; to comprehend, to know; — a contar to be able to count

Alcázar de San Juan *a railroad junction,* 92 *miles from Madrid*

alcohólico, -a alcoholic

alegre joyful; casa — tavern

alegremente joyfully

alegría happiness; casa de — tavern

alejar to remove, push away; alejarse to go away

Alemania Germany

aleta *f.* fin

alfombra *f.* carpet

alforja *f.* saddle bag

alga *f.* sea-weed

algo something, anything; — bandido something of a bandit

algodón *m.* cotton

alguacil *m.* constable

alguien someone

alguno, -a some

aliento *m.* breath

alimaña *f.* noxious animal

alimento *m.* food

alinear to line up

aljaba *f.* quiver

alma *f.* soul; courage

Almagro, Diego de *a Spanish conquistador who invaded Chile after the conquest of Peru by Pizarro.*

almanaque *m.* almanac

almohadón *f.* large cushion

almuerzo *m.* noonday meal

alojamiento *m.* lodging

alojar to lodge

alquilar to rent

alterar to change; to disturb

altiplanicie *f.* (*Amer.*) plateau

altivo, –a proud; lofty

alto, –a high, tall

alto *m.* halt

altura *f.* height

alucinación *f.* halucination

alumbrar to light, throw light upon

alumno, –a pupil

alvéolo *m.* socket

alzar to raise

allá there; **más —** beyond, further on

allí there

amabilidad *f.* amiability

amable amiable

amainar to lower (*sail*)

amanecer to dawn; **al —** at dawn

amante *m. and f.* lover

amar to love

amarillento, –a yellowish

amarillo, –a yellow

ambiente *m.* atmosphere

ambiguo, –a ambiguous

ambos both

ambulatorio, –a wandering

amenaza *f.* threat

amenazador, –ra threatening

amenazante threatening

amenazar to threaten

amenizar to make pleasant

ametralladora *f.* machine-gun

amigablemente amicably

amigazo *m.* (*coll.*) good friend

amigo, –a friend

amor *m.* love, love affair

amparo *m.* protection

amplio, –a ample, large

anaquelería *f.* shelving, shelves

anaranjado, –a orange-colored

anca *f.* haunch

anciano, –a old; old person

ancho, –a wide

andaluz, –za Andalusian

andamio *m.* scaffold

andante wandering

andanza *f.* fortune; adventure

andar to go; to walk

andas *f. pl.* platform, *frame on which an image is carried*

andén *m.* platform (*of a railway station*)

Andes *m. pl.* Andes (*mountain range of South America*)

andino, –a (*adj.*) of the Andes

andrajoso, –a ragged

anestésico *m.* anæsthetic

angustia *f.* anguish, pain

angustiar to afflict

ánima *f.* soul

animar to animate, encourage

ánimo *m.* courage

animoso, –a spirited

anochecer to grow dark; **al — at** nightfall

anonadar to annihilate, crush, overwhelm

anónimo, –a anonymous

ansiar to desire anxiously

ante before

antecesor, –ra ancestor

anterior former, before

antes before; rather; **cuanto — as** soon as possible

antiguo, –a old

Antofagasta *port and capital of a Chilean province of the same name. Its importance consists in the proximity of nitrate deposits*

Antonio *proper name*

Antoñico, *dim. of* **Antonio**

anudar to knot

anunciar to announce

anzuelo *m.* fish-hook

añadir to add

año *m.* year; **a los veinte años** at twenty

apagar to extinguish, put out (*a light*)

apalear to cudgel, beat (*with sticks*)

aparecer to appear

aparejo *m.* tackle

aparición *f.* appearance

apearse to alight

apellidar to name

apenas scarcely

apergaminado, –a dry and yellow like parchment

apiadarse to take pity (on)

aplastar to flatten

aplicar to apply

apoderarse to take possession, keep

apodo *m.* nickname

apolillado, –a moth-eaten

apoyar to lean

apreciar to appreciate

aprendiz *m.* apprentice

apresar to seize, catch

apresuradamente hastily

apresurar to hasten

apretar to compress, press down

aprovechar to take advantage of

aproximar to approach

apuntar to aim

apurar to purify; **verse apurado** to be in hard straits

aquel, aquella, aquello that

aquél, aquélla that, that one, the former

aquí here; **de — hence; de — a cien años** a hundred years from now

árabe Arab, Arabian

Aragón *a province in northern Spain*

arañar to scratch

arañazo *m.* scratch

árbol *m.* tree

arca *f.* chest, box

arcabuz *m.* arquebuse

arcaico, –a archaic

arco *m.* arch

archivo *m.* archives

arder to burn

ardiente burning

ardor *m.* great heat; glow (*of coals*)

ardoroso, –a fiery

arena *f.* sand

arenal *m.* sandy ground

Arica *a seaport in a province of the same name to the north of Chile and held (with Tacna) by that country since the " War of the Pacific," (1879–1883)*

árido, –a arid

arista *f.* rib, projection

arma *f.* weapon

armadura *f.* armor

armar to arm

armonioso, –a harmonious

arpa *f.* harp

arrancar to tear out, tear away

arranque *m.* extirpation, tearing up

arrasar to level; destroy, raze

arrastrar to creep, crawl; to drag, bring

arrayán *m.* a kind of myrtle

¡ arre ! Get up ! (*to urge a horse*)

arrear to drive (*horses, etc.*), to drive on

arrebatar to carry off

arreglar to arrange; to settle; arreglarse to dress

arreglo *m.* rule; arrangement; con — a according to

arremangar to tuck up; arremangado de brazos y piernas with sleeves and trousers rolled up

arremolinar to whirl; arremolinarse to form eddies

arrepentir to repent

arria *f.* drove of beasts; team

arriba above, up

arrieraje *m.* occupation of mule-driver

arriero *m.* mule-driver

arrinconar to put in a corner, lay aside

arroba *f. Spanish weight of 25 lbs.*

arrojar to hurl, throw

arrollar to roll, roll up

arroyo *m.* stream

arruga *f.* wrinkle, fold

arrullar to lull to sleep

arte *m. or f.* art

artillería *f.* artillery

asador *m.* spit (*implement for roasting*)

asaltar to storm; to assault

asalto *m.* assault

asar to roast

ascendiente *m. or f.* ancestor

ascético, –a ascetic

asegurar to assure

asesinar to assassinate

asesinato *m.* assassination

asesino *m.* assassin

asestar to aim

asfixia *f.* suffocation

asfixiar to asphyxiate

así thus; — **como** as, to the same extent that; — **que** as soon as, at the moment when

asidero *m.* handle

asiento *m.* seat

asistir to be present, assist

asomar to appear, become visible

asombro *m.* astonishment

asombroso, –a astonishing

aspecto *m.* aspect, appearance

astuto, –a cunning

asunto *m.* matter, affair

asustar to frighten

atabal *m.* kettle-drum

Atacama *desert of the Chilean provinces of Atacama and Antofagasta. This region is very mountainous and practically devoid of water*

atacar to attack

atar to tie

atención *f.* attention

atender to attend; to meet (*an emergency with money*)

aterrador, –ra terrifying

aterrar to destroy, to terrify

atinar to hit the mark; to guess: to find out

atizar to stir up the fire; (*fam.*) to strike (*a blow*)

atmósfera *f.* atmosphere

atolondrar to stun

atormentar to torment

atracción *f.* attraction

atraer to attract

atrás back, backwards

atravesar to cross, pass through

atreverse to dare

atribuir to attribute

atropello *m.* act of violence

atroz atrocious

atún *m.* tunny fish, tuna

audacia *f.* daring

audaz audacious, daring

aullar to howl, yell

aullido *m.* howl

aumentar to increase

aumento *m.* increase

aun, aún still, yet, even

aunque although

aurífero, –a gold-bearing

ausencia *f.* absence

ausente absent

austral southern

autoridad *f.* authority

autorizar to authorize

auxiliar *m.* assistant

auxilio *m.* aid

avanzar to advance

avaro *m.* miser

ave *f.* bird

aventura *f.* adventure

aventurero *m.* adventurer; adventurous

avergonzarse to be ashamed

averiguación *f.* inquiry

averiguar to inquire, find out

avieso, –a mischievous

avisar to inform, give notice; to warn

ay alas

ayer yesterday

ayudante *m.* assistant

ayudar to aid, assist

azahar *m.* orange blossom

ázoe, *m.* nitrogen

azorado, –a restless, terrified

azotar to lash

azul blue

azuzar to provoke

B

babeante slavering, dripping

bahía *f.* bay

bailar to dance

baile *m.* dance

bajar to go down, descend; to lower; to alight

bajo, –a low; (*prep.*) under; *m.* lower floor

bala *f.* bullet

baladronada *f.* boast, brag

balancear to balance; to sway, swing

balazo *m.* shot

balbucear to stammer

balcón *m.* balcony

balde, en — in vain

ballestero *m.* crossbowman; Ballestero de la Pluma *one of the body-guard of the Valen-*cian justicias, *so called from the feather in their hats*

bambolear *f.* to sway, totter

banasta *f.* large basket

banco *m.* bench

banda *f.* band

bandada *f.* school (*of fishes*)

bandera *f.* flag, banner

banderola f. (*Val.*) standard-bearer

bandido *m.* bandit

barba *f.* chin; beard

barbaridad *f.* barbarity; barbarous deed

bárbaro, –a barbarous

barbudo, –a bearded

barca *f.* boat, bark

barnizar to varnish

barraca *f.* cabin

barrer to sweep

barrera *f.* barrier

barrio *m.* district; — del Pacífico, *a district near the South Station in Madrid, traversed by the Calle del Pacífico, a continuation of the Calle de Atocha;* — de la Xedrea *an old district of Valencia* (Xedrea *is Valencian for* judería, *Jewish quarter*)

barro *m.* mud

barrote *m.* bar

bastar to be sufficient

bata *f.* wrapper, loose gown

batalla *f.* battle

batallar to battle, fight

Batiste *proper name*
bautizar to baptize
bayoneta *f.* bayonet
beber to drink
bebida *f.* drink
bendición *f.* benediction
beduíno *m.* Beduin
Belén Bethlehem
bello, –a handsome, fair
bendito, –a blessed
benéfico, –a beneficent
berberisco, –a Berber, from Barbary
besar to kiss
bestia *f.* beast
Biarritz *a watering place of southeastern France, on the Bay of Biscay*
bichero *m.* boat-hook
bien well
bigote *m.* moustache
billete *m.* note, bank-note; ticket; — de a peso peso note (*See* peso)
bisabuelo *m.* great-grandfather
blanco, –a white; *m.* target
blancura *f.* whiteness
blando, –a soft
blanquer *m.* (*Val.*) tanner
blanquería *f.* (*Val.*) tannery
blasfemia *f.* curse, oath
blasfemo *m.* blasphemer
boca *f.* mouth; muzzle (*of a gun*)
bocado *m.* morsel; mouthful
bocaza *f.* big mouth

bodega *f.* hold (*of a vessel*)
bohemio, –a gypsy
boliche *m.* (*Arg.*) little country store
Bolivia *a republic in the interior of South America. Its chief products are minerals*
boliviano, –a native of Bolivia
bolsa *f.* purse; pouch
bolsillo *m.* pocket
Bolsón *proper name* " Big Purse."
Bolsonet *fam. for* Bolsón
bonachón, –na good-natured
bondad *f.* kindness, goodness
bondadoso, –a kind
bondadosote, –a extremely kind
bonito, –a pretty, fine
borato *m.* borax
borbotón act of boiling over, bubbling, gushing
borda *f.* gunwale (*of a ship*)
bordada *f.* tack; correr — to tack (*of a ship*)
bordado *m.* embroidery
borde *m.* edge, border
bordo, a — de on board
borrachera *f.* drunkenness
borracho, –a intoxicated, drunk; *m.* drunkard
borrar to erase, obliterate
bostezar to yawn
bostezo *m.* yawn
bota *f.* boot
bote *m.* small boat; tin can

botella *f.* bottle

botón *m.* button

Brandeburgo Brandenburg (*a province of central Prussia. Its soil is very sandy and is kept productive only by artificial means*)

bravamente bravely; extremely well

bravo, –a brave; quick to quarrel; wild

brazo *m.* arm; **brazos** workmen, "hands."

brida *f.* bridle; streamer

brillantemente brilliantly

brillar to shine

briosamente with spirit, in a spirited manner

brisa *f.* breeze

bronceado, –a bronzed; tanned

bronco, –a hoarse

broza *f.* brush wood

bruces, caer de — to fall headlong

bruja *f.* witch

brutalidad *f.* brutality

bruto, –a stupid; *m.* brute

buenamente properly, well

bueno, –a good

Buenos Aires *capital of Argentina, situated on the south shore of the Río de la Plata*

bufar to snort

Bujía Bougie (*a Mediterranean seaport in Algeria, 112 miles east of Algiers*)

buque *m.* ship

burbuja *f.* bubble

burdo, –a coarse, rude

burgués, –sa bourgeois, of the middle class

burlar to ridicule, mock; to flout; **burlarse de** to make sport of

burlón, –na mocking

busca *f.* search; **en su —** in search of him

buscar to seek, look for

C

cabalgadura *f.* mount, horse

caballería *f.* horse

caballero *m.* gentleman; **—andante,** knight errant

caballo *m.* horse; **— de las Musas** Pegasus, *a mythological winged horse*

cabecear to pitch (*of a ship*)

cabellera *f.* long hair, head of hair; skein

cabello *m.* hair

cabeza *f.* head

cabezota *f.* big head

cabo *m.* end

cabra *f.* goat

cabriola *f.* caper

cacto *m.* cactus

cachorro *m.* young, whelp

cada each

cadenciosamente in cadence

cadáver *m.* corpse

caer to fall
café *m.* café
cafetín *m.* café
caja *f.* box
cajón *m.* chest, big box
cala *f.* hold (*of a ship*)
calamidad *f.* calamity; oppression.
calar to penetrate; to put; **sombrero calado** hat pulled down
calcular to calculate, reckon
cálculo *m.* calculation
calchaquí *a tribe of Indians who lived in the valley of Calchaqué in the province of Tucumán, Argentina*
caldera *f.* boiler
cálido, –a warm
calma *f.* calm
calor *m.* heat
calzón *m.* breeches
callar to be silent
calle *f.* street
callejón *m.* alley
calloso, –a callous; horny
cama *f.* bed
cámara *f.* chamber
camarada *m.* comrade
camaradería *f. camaraderie,* loyalty
cambiar to change, exchange
cambio *m.* exchange; **en —** on the other hand
caminar to travel, walk
camino, *m.* road; journey

camisa *f.* shirt
campamento *m.* camp
campana *f.* bell
campesino *m.* countryman
campo *m.* field
candidez *f.* sincerity; simplicity
candil *m.* lamp
cansado, –a tired
cansancio *m.* weariness
cansarse to grow tired
cantar to sing
cantidad *f.* quantity, amount
cantor, –ra singer; (*adj.*) singsong
caña *f.* cane, sugar cane; **aguardiente de —** rum
cáñamo *m.* hemp
cañar *m.* cane field
cañón *m.* barrel (*of a gun*)
capa *f.* cape; covering, layer
capaz capable
capazo *m.* basket
caperuza *f.* hood; (*fig.*) bowl (*of a goblet*)
capilla *f.* chapel
capricho *m.* caprice
cara *f.* face; **hacer — a** to face
carátula *f.* pasteboard mask
caravana *f.* caravan
carbón *m.* coal
carcamal *m.* nickname of old people, "old-timer"
cárcel *f.* jail
carencia *f.* lack
carga *f.* load, burden

cargamento *m.* load

cargar to load; — con to carry, take

cargo *m.* post, position

caricatura *f.* caricature

caricia *f.* caress

caridad *f.* charity

carita *f.* little face

carne *f.* flesh, meat

carnicero *m.* butcher

caro, –a dear, expensive

carrera *f.* run

carretera *f.* highway

carretero *m.* carter

carro *m.* cart

carruaje *m.* wagon

cartita *f.* note

cartón *m.* pasteboard

cartoncito *m.* small piece of pasteboard

casa *f.* house

casar to marry

casco *m.* helmet

caserón *m.* large house

casi almost

casillas *f. pl.* pigeon-holes

casino *m.* casino

casita *f.* little house, cottage

caso *m.* case; hacer — to pay attention, heed

caspa *f.* dandruff, scurf

castañuela *f.* castanet

castellano, –a Castilian

Castellón (de la Plana) *a town near the seacoast, 42 miles north of Valencia*

castigar to punish

casualidad *f.* chance

casucha *f.* rough house, hut

cataclismo *m.* cataclysm, violent upheaval

catalán, –na Catalan, native of Catalonia

catar to view; ¡ cátate ! behold !

catástrofe *f.* catastrophe

catorce fourteen

caudillo *m.* leader

causa *f.* cause; a — de because of

cautelosamente cautiously

caverna *f.* cavern, cave

cazar to hunt

cebo *m.* bait

cebolla *f.* onion

ceder to yield

cegar to blind; to block up

cejijunto, –a frowning

celebrar to celebrate; to rejoice in

célebre celebrated, famous

celo *m.* zeal; celos jealousy

celosía *f.* lattice

cencerreo *m.* tinkling of bells

censurable censurable

centauro *m.* centaur (*a fabulous being, half man, half horse*)

centavo *m.* cent

centenar *m.* a hundred

centenario *m.* centenary

céntimo *m. céntimo, one hundredth part of a peseta*

cepillo *m.* brush; poor-box, collection box

cera *f.* wax

cerca near; de — close to

cerca *f.* fence

cercanía *f.* neighborhood

cercano, –a neighboring

cercar to enclose, hem in; to surround

cerda *f.* bristle

cerebro *m.* brain

ceremoniosamente, ceremoniously

cerradura *f.* lock

cerrar to close, lock

certeza *f.* certainty

cesar to cease

cicatriz *f.* scar

cielo *m.* sky, heaven

ciento hundred

cierto, –a certain, sure

cifra *f.* cipher, figure

cigarro *m.* cigar

cinco five

cincuenta fifty

cinto *m.* belt

cintura *f.* waist

cinturón *m.* belt

circular to circulate, travel around

cirio *m.* wax candle

cita *f.* appointment

ciudad *f.* city

civil civil

civilizar to civilize

clamor *m.* clamor, noise

claro, –a clear; light (*in color*)

clase *f.* class, kind

clavar to nail

clavo *m.* nail

Cobija *a seaport in the province of Antofagasta, Chile, about 70 miles north of the city of Antofagasta*

cobijar to cover, shelter

cobrar to collect

cobrizo, –a copper-colored

coca *a South American shrub from which cocaine is extracted. Since time immemorial the Indians of South America have used the leaves to deaden hunger and thirst during long trips through the deserts, carrying a small quantity in a bag and chewing some of it from time to time*

cocaína *f.* cocaine

cocina *f.* kitchen

coche *m.* coach, car (*of a train*)

cochera *f.* coach-house, carriage-house

cocherón *m.* miserable coach

codo *m.* elbow

cofradía *f.* brotherhood

coger to catch

cola *f.* tail

cólera *f.* anger

colocar to place, put

colosal colossal

columbrar to discern (*at a distance*), see dimly

columna *f.* column
combatir to fight
comer to eat
comerciante *m.* merchant, trader, business man
comercio *m.* commerce, business
como like, as; como + *subj.* if only
¿ cómo ? How? How much?
compadecer to pity
compadre *m.* god-father; friend, crony
compañero *m.* companion
compañía *f.* company
comparar to compare
comparsa *f.* retinue
compás, al — de in time with
compasivo, –a compassionate
compatriota *m. or f.* fellow countryman, fellow citizen
completamente completely, absolutely
complicar to complicate
componer to compose
comprador, –ra purchaser
comprar to buy
comprender to understand
comprometer to compromise, bind by contract
compromiso *m.* compromise; obligation
compuesto, –a (*p. p. of* componer) composed
compungido, –a compunctious
común common

comunicar to communicate, impart
con with
conceder to give, grant; — respeto to respect
concentrar to concentrate
condición *f.* condition; class (*of society*)
conducir to conduct
conducta *f.* conduct
confesable admissible
confianza *f.* confidence
conforme as
confundir to confound, jumble
confuso, –a confused
congestionado, –a congested, inflamed
conmover to disturb, move, affect
cono *m.* cone
conocer to know, be acquainted with
conquistador conqueror
consecuencia *f.* consequence, result
conseguir to attain, succeed (in)
consejo *m.* counsel, advise
conserva *f.* conserve; carne en — preserved meat
conservación *f.* preservation
conservar to keep
considerar to consider
consorte *m. or f.* consort
construcción *f.* construction
construir to construct

consultar to consult

consumir to consume

contacto *m.* contact

contagiar to infect; **to be con-**
tagious, affect

contar to count; to tell; —
con to count upon

contemplar to contemplate

contenedor, –ra containing

contener to contain; to hold
back

contento, –a content

contertuliano, –a belonging to
the same set; fellow patron

contestar to answer

continuamente continually

continuar to continue

continuo, –a continual

contra against; contrary to

contracción *f.* contraction

contraer to contract

contrario *m.* contrary; **al —**
on the contrary, to the contrary

contribuir to contribute

convecino, –a neighbor

convencer to convince

convenir to agree

convento *m.* convent

conversar to converse

convertir to convert

copa *f.* cup, small glass; foliage
of a tree

Copiapó *a province in the north
of Chile*

copita *f.* little glass, small goblet

corazón *m.* heart

cordillera *f.* mountain range;
la Cordillera the Andes

cordón *m.* cord, streamer

cordóns a Valencian oath

corear to sing or answer in
chorus

cornisa *f.* cornice

corona crown; — **mural** *a
crown given in ancient times
to the soldier who first scaled
the enemy's walls. It was
adorned with a series of
miniature turrets*

Corpus Corpus Christi Day
(*celebrated in honor of the
Eucharist the first Thursday
after Trinity*)

corral *m.* yard, farm-yard

correa *f.* leather strap; heavy
belt leather

Correa *proper name*

corredizo, –a easy to be un-
tied; **nudo —** slip-knot

correo *m.* mail

correr to run; to travel; to flow;
to frequent; to turn; to pull
down; **a todo —** at full speed

correría *f.* raid

corresponder to correspond; to
belong to

corro *m.* circle, group

cortante *adj.* cutting

cortar to cut, cut off; to interrupt; to shorten, abbreviate

cortés courteous

cortésmente courteously

corto, –a short

cosa f. thing; no ... gran cosa not much

coscorrón m. bruise

cosecha f. harvest

coselete m. corselet, coat of armor

costa f. coast

costar to cost

costear to pay the cost, bear all charges

costra f. crust

costumbre f. custom, habit

cráneo m. head

creación f. creation

crear to create

crecer to grow

creencia f. belief

creer to believe, think

cresta f. crest

cría f. brood

criado, –a educated, bred; m. or f. servant

criatura f. child; creature

crimen m. crime

crispar to clench; to cause to twitch; to grate on (nerves)

cristal m. window-pane

cristalino, –a crystalline

cristiano, –a Christian

Cristo Christ, Lord

crucecita f. little cross

crudo, –a raw

crujido m. crack, crackling, creaking

crujir to crack, creak

cruz f. cross

cruzar to cross

cuadrado, –a square

cuadro m. picture

cuadrúpedo, –a quadruped

cual which, who, whom, that; as, like; cada — each one

cuál which, which one, what

cualquiera whatever, any, some ... or other

cuando (¿ cuándo ?) when

cuantía f. quantity, amount

cuanto as much as; ¿ cuánto ? how much? — antes as soon as possible; unos cuantos some, a few, a good many; en — a in regard to

cuarenta forty

cuatro four

cubierta f. deck

cubierto, –a (p. p. of cubrir) covered

cubrir to cover

cuchillada f. knife thrust

cuchillo m. knife

cueca = zamacueca a Chilean dance

cuello m. neck

cuenta f. account; bead; darse — de to realize; por su — on his (their) account; tener en — to take into account

cuento m. story, tale

cuerda f. cord, rope

cuero m. leather

cuerpo *m.* body

cuesta *f.* hill, slope; **— arriba** up hill; **a cuestas** on one's back

cuestión *f.* question; dispute

cueva *f.* cave

cuidar to take care of

culata *f.* butt of a gun

culminante culminating, high

culpa *f.* fault

culpable guilty

cumbre mountain peak

cumplir to fulfill; to expire (*of time*)

cura *m.* parish priest

curiosidad *f.* curiosity

curioso, –a curious, inquisitive

curtido *m.* leather

curtidor *m.* tanner

curtir to tan

curva *f.* curve

curvar to curve

Custodia Monstrance (*casket in which the Sacred Host is shown in Catholic churches*)

cuyano native of Cuyo, province of Argentina)

cuyo, –a whose, of which

Ch

Chaco, El the Chaco (*an extensive district of northern Argentina and western Paraguay consisting of a sloping plain, swampy in many places, with dense vegetation, but uncultivated and thinly populated*)

champaña *f.* champagne

chantre *m.* canon of a church

chapuzón *m.* splashing

chaqué = chaquet "Prince Albert" coat

charla *f.* prattle, idle talk

charlar to chat, talk

chasquido *m.* crack (*of a whip*)

chaval *m.* (*coll.*) young man

chico, –a little; *m. & f.* child

chicuelo, –a child, boy, girl

Chile *a republic on the west coast of South America. One of its principal products is nitrate*

chilenita *f.* the **zamacueca**, a Chilean dance

chileno, –a Chilean

chillar to shriek

chillón showy, loud (*of colors*)

chinita *f.* (*S. A.*) *dim. of* **china** half-breed woman

chiquillo, –a little; little one, child

chiquitín little child

chirriar to creak

chirrido *m.* creaking

chispa *f.* spark; small particle

chocar to dash against

chorrear to gush, drip

choza *f.* hut

chupar to suck

D

dalmática *f.* deacon's cloak

danzante *adj.* dancing

danzar to dance

dar to give; to pull; **dar con** to meet, encounter; **lo mismo da** it is all the same

dato *m.* datum, fact

debajo under

deber to owe; **to have to,** must, ought

deber *m.* duty

débil weak

decente decent; reasonable

decepción *f.* deception

decidir to decide

décima decima, a Spanish stanza. (*See note to p. 4, l. 12*)

décimo, –a tenth

decir to say, tell; **como quien dice** so to speak

declarar to declare

decrépito, –a decrepit

dedicar to dedicate, devote

dedo *m.* finger; — **del pie** toe

defender to defend

defensa *f.* defense, protection

defensor, –ra defender

degollar to behead, cut the throat

dejar to leave, abandon; to allow; — **de** to fail to, cease to

delante in front of; ahead

delantero, –a front

deleitar to delight

deletrear to spell, spell out

delfín *m.* dolphin

delgadez *f.* thinness

delicia *f.* delight

delicioso, –a delicious, pleasant

demanda *f.* demand

demás other

demasía *f.* excess

demonio *m.* demon, devil

demora *f.* delay

demorar to delay, postpone

dentadura *f.* set of teeth; — **de rumiante** large set of teeth (*like those of an animal that chews the cud*)

dentro inside

departamento, –a compartment; — **de primera** first-class compartment

depositar to deposit

depósito *m.* deposit; — **de mercancías** storehouse

derecho, –a right; *m.* right

derretirse to melt

derribar to knock down, blow down

desafiar to defy

desagrado *m.* harshness, displeasure

desahogadamente freely

desalmado, –a soulless; profligate

desaparecer to disappear

desarmar to disarm

desarrollar to unroll, develop

desbocado, –a wild (*applied to a horse*)

descalzo, –a bare-footed

descansar to rest

descanso *m.* rest, period of rest

descender to descend

descendiente descending; *m. or f.* descendant

descenso *m.* descent

desconocido, –a unknown; unknown person

descorrer to draw, pull aside

describir to describe

descuartizar to quarter

descubrir to discover, disclose

descuidado, –a careless, off one's guard

descuido *m.* carelessness

desde since

desear to desire

desembarcar to disembark

desembolso *m.* disbursement

deseo *m.* desire, wish

desesperación *f.* desperation, despair

desesperadamente, desperately

desesperado, –a desperate; despairing

desfallecido, –a languishing, weak

desfiladero *m.* defile, narrow passage

desfilar to march (in review) march by

desfile *m.* procession

desgarrador, –ra rending, tearing; un esfuerzo — a supreme effort

desgracia *f.* misfortune

desgraciado, –a (*p. p. of* desgraciar) unfortunate

desgraciar to displease; (*S. A.*) to kill or severely wound a man

desgranar to shake out, scatter

desgreñado, –a dishevelled

deshacer to undo, destroy; to break; **deshacerse** to vanish

deshilachar to ravel, unravel

deshonra *f.* dishonor

desierto, –a deserted; *m.* desert

desistir to desist

deslizar to slip, slide

deslumbrante dazzling

deslumbrar to dazzle

desmayado, –a pale; weak

desmonte *m.* cut (*for a railroad, canal,* etc.)

desnudar to bare, unsheath

desnudo, –a bare, naked

desolación *f.* desolation

desolar to desolate

desordenado, –a disordered

despacho *m.* depot; office; — de bebidas saloon

despanzurrar (*coll.*) to rip open

despavorir to be terrified

despechugar to open the shirt bosom

despedazar to cut into bits

despedir to accompany a departing guest; **despedirse** to take leave

despeñarse to fall headlong (*down a precipice*)

despertar to awaken

despilfarrar to squander, waste

desplante *m.* (*fam.*) audacity

desplegar to unfold, unfurl

despoblado, -a uninhabited

despojar to strip

despojo *m.* spoil, plunder; piece of wreckage

desprecio *m.* scorn

después (*adv.*) after, afterwards, later; — de after

destacarse to be prominent, to stand forth

destilar to distill, drip

destreza *f.* skill

destrozar to destroy, break to pieces

destruir to destroy

detalle *m.* detail

detener to stop; to arrest

detonación *f.* detonation, report (*of firearm*, etc.)

detrás behind

deuda *f.* debt

deudor, -ra debtor

devolución *f.* return

devolver to return, restore

devorador, -ra devouring

devorar to devour

devotamente devoutly

devoto, -a devout, religious; devotee

di (*pret. of* **dar**) I gave

día *m.* day; **de** — by day

diablo *m.* devil

diariamente daily

diario, -a daily; *m.* daily paper

dicho, -a (*p. p. of* **decir**) said, above-mentioned

diente *m.* tooth

diestra *f.* right hand

diferencia *f.* difference

difícil difficult

dificultar to make difficult

difunto, -a deceased

dignamente worthily

dignidad *f.* dignity

digno, -a worthy

dilatación *f.* dilation

dilatar to expand

diligencia *f.* stage-coach

dinero *m.* money

dios *m.* god; **Dios** God

diosa *f.* goddess

diputado *m.* deputy

dirección *f.* direction; **con** — **al Sud** toward the South, for the South

dirigir to direct; **dirigirse** to go

disciplina *f.* scourge

discípulo, -a disciple

disgusto *m.* displeasure, ill-humor

disolver to dissolve, dissipate

disparar to fire, to shoot

disponer to dispose of, distribute

disputar to dispute

distancia *f.* distance
distinguir to distinguish
distinto, –a distinct, different
distraer to distract
distrito *m.* district
diversión *f.* diversion
diverso, –a different
divertir to divert; divertirse to have a good time, enjoy one's self
dividir to divide
divinidad *f.* divinity
divino, –a divine
doblar to double up
doble *m.* double
docena *f.* dozen
documento *m.* document
dolencia *f.* affliction
doliente suffering
dolor *m.* pain; grief
dolorosamente painfully, sadly
doloroso, –a painful; sad
domador, –ra tamer
domicilio *m.* domicile
dominador, –ra dominator, ruler
dominante dominant
dominar to dominate
domingo *m.* Sunday
dompedro morning glory
don *m.* gift
don don (*title of courtesy, used before the given name*)
donde (¿ dónde ?) where; — quiera wherever
dorado, –a gilded

dormir to sleep; dormirse to fall asleep
dorso *m.* back
dos two
doscientos, –as two hundred
drama *m.* drama
duda *f.* doubt
dudar to doubt, hesitate
dueño *m.* owner, master
dulce sweet, mild
dulzaina *f. a wind instrument very much like the oboe but shorter*
dulzón, –na soft
dulzura *f.* sweetness
durante during
durar to last
durmiente *m.* sleeper
duro, –a hard
duro *m.* dollar (*five pesetas*)

E

e = y and
ebrio, –a drunk, intoxicated
eco *m.* echo
economía *f.* economy; saving
echar to throw; to put; to utter; echarla de majo to swagger about; echarse a to begin to; echarse a pecho to undertake resolutely
edad *f.* age
efectivamente actually; in fact
efecto *m.* effect
egoísmo *m.* egoism

egoísta selfish

ejemplo *m.* example

ejercer to exercise, practice

ejercicio *m.* exercise, practice

ejército *m.* army

el the

él he, it

elección *f.* election

electoral electoral

elefante *m. or f.* elephant

elegante elegant

elevar to elevate, lift, raise

ella she, it

emancipar to emancipate

embarcarse to embark

embargo, sin — nevertheless

emboscar to ambush

embozar to muffle

embriagarse to get drunk

embriaguez *f.* drunkenness

embrollar to entangle; to twist

embrutecer to stupefy

embudo *m.* funnel

embutir to·enchase; (*fig.*) to cram, stuff

emigración *f.* emigration

emisario *m.* emissary

emoción *f.* emotion

emocionar to stir with emotion

empalizada *f.* palisade

empeñar to pledge, pawn

empequeñecer to make smaller

emperador *m.* emperor

empezar to begin

empinado, –a high, lofty

emplazamiento *m.* emplacement

empleado *m.* employee

emplear to employ, use

empleo *m.* employment

emporcar to soil

emprender to undertake

empresa *f.* undertaking

empujar to push, shove; to force

empuje *m.* impulse, pushing

empujón *m.* push, shove, impulse

empuñar to grasp

enaguas *f. pl.* petticoat

enano *m.* dwarf

encabritarse to prance

encaje *m.* lace

encantar to enchant

encarar to face; **encararse con** to aim at

encargado *m.* agent

encargar to recommend, charge; **encargarse de** to take charge of

encargo *m.* commission, charge

encender to light

encima (*adj.*) above, on; (*adv.*) at the top

enclavar to nail;(*fig.*) to hang;

encoger to shrink, contract

encogido –a (*p. p. of* **encoger**) timid, fearful

encomienda *f.* charge, errand

encontrar to find, meet; **encontrarse con** to find

encorvar to bend, bend over

encuentro *m.* meeting; **a su —** to meet him (her); **salir al encuentro de** to come to meet

endecha *f.* dirge (*See note to p. 4, l. 12*)

endiablado, –a devilish

enemigo, –a enemy

energía *f.* energy

enérgico, –a energetic

enfadarse to become angry

énfasis *m.* emphasis

enfermedad *f.* sickness, malady

enfermo, –a ill

enfrente opposite, in front

enfundar to put into a case; to cram, to stuff

enfurecer to infuriate

enfurruñarse to grow fretful

enganchar to hook, hook up

engañar to deceive; to while away (*time*, etc.)

engaño *m.* deceit

engruesarse to grow big, thick

enjaezar to harness, caparison

enjugar to dry, wipe off moisture

enjuto, –a lean, spare

enlutar to put in mourning; to veil

ennegrecer to blacken

enorme enormous

enrojecer to redden, grow red

enroscar to twist

ensanchar to widen, extend

ensartar to string (*beads*, etc.)

enseñar to teach; to show

ensueño *m.* sleep; fantasy

entender to understand

enterar to inform, acquaint; **—se** to find out

entereza *f.* integrity; firmness

entero, –a entire, whole

enterrar to bury

entonces then

entorpecimiento *m.* numbness

entrañas *f. pl.* bowels; (*fig.*) heart

entrar to enter

entre between, among

entregar to deliver, hand over; to give way; **entregarse a** abandon one's self

entretener to entertain; to while away (time); to keep up

entristecedor, –ra depressing

enturbiarse to become disturbed

entusiasmo *m.* enthusiasm

entusiasta enthusiastic; *m. and f.* enthusiast, devotee

enumerar to enumerate

enviar to send

envidia *f.* envy

envidiar to envy

envidioso, –a envious

envío *m.* remittance

envoltorio *m.* bundle

envolver to wrap, envelope

envuelto, –a (*p. p. of* **envolver**) wrapped, enveloped

época *f.* epoch, time

equilibrio *m.* equilibrium, balancing

equivocación *f.* mistake

erguido, –a erect

erguirse to rise up

erizar to bristle

erizo *m.* hedgehog

ermita *f.* hermitage

errar to err; to miss

esbeltez *f.* elegance

esbelto, –a tall and well shaped; graceful

escala *f.* ladder; port; **hacer — to** touch at ports (*used of vessels*)

escalón *m.* step

escama *f.* scale; steel plate

escandalizar to scandalize, shock

escapar to escape

escape *m.* escape; **a —** as quickly as possible

escarcha *f.* frost

escarlata scarlet

escasear to give sparingly; to become scarce

escasez *f.* scantiness

escaso, –a scarce, rare

escena *f.* scene; **entrar en —** to come upon the scene

esclavitud *f.* slavery

esclavo *m.* slave

escoger to choose

escolta *f.* escort

escoltar to escort

escollera *f.* rocky cliff

escondrijo *m.* hiding place

escopeta *f.* shot-gun; **— de pistón** muzzle-loading gun

escoria *f.* dross, slag

escotilla *f.* hatchway

escribir to write

escrúpulo *m.* scruple

escuadrón *m.* squadron

escuchar to listen

escudero *m.* squire

escudo *m.* shield, coat of arms

escuela *f.* school

escueto, –a sprightly, vivacious

escurrirse to slip away

esforzarse to strive, make a great effort

esfuerzo *m.* effort

eso that; **¿ no es eso ?** Isn't that so?

espabilarse to quicken one's wits

espacio *m.* space; air

espada *f.* sword

espalda *f.* shoulder; **de —** back to, on one's back; **en la —** behind him (her, etc.)

espantar to frighten; to chase away

espanto *m.* fear

espantosamente frightfully

espantoso, –a frightful

español, –a Spanish; Spaniard

esparcir to scatter, spread

esparto *m.* Spanish grass, hemp

especial special

especie *f.* kind

espeluznamiento *m.* raising of hair in fright; great fright

espera *f.* stay; expectation; waiting

esperanza *f.* hope

esperar to wait, await; to expect

espeso, –a thick

espinoso, –a thorny

espíritu *m.* spirit

espita *f.* faucet, tap

espléndido, –a splendid

esposa *f.* wife

espuela *f.* spur

espuma *f.* foam

espumarazo *m.* froth, foam

esquelético, –a like a skeleton

esquina *f.* corner

establecer to establish

establecimiento *m.* establishment

estaca *f.* stake

estación *f.* station; — del Mediodía South Station

estado *m.* state, condition

estallido *m.* crack, crackling; burst, report, volley (*of firearms*)

estandarte *m.* standard

estaño *m.* tin

estar to be

estatura *f.* stature

este, –a this

éste, –a this (one), the latter

estela *f.* wake (*of a boat*)

estéril sterile, infertile

esterilidad *f.* sterility, barrenness

estirar to stretch

esto this; **por —** on this account

estrechar to tighten; to press, clasp

estrecho, –a narrow

estrella *f.* star

estrellar to dash to pieces

estremecer to shake, move, shiver

estremecimiento *m.* shiver

estrenar to do anything for the first time; (*of clothes*) to wear for the first time

estrépito *m.* noise, clamor

estribación *f.* spur (*of a mountain*)

estribo *m.* step (*of a coach*)

estudiar to study

estúpido, –a stupid

eterno, –a eternal, everlasting

étnico, –a ethnic

Europa Europe

europeo, –a European

evitar to avoid

exactamente exactly; accurately

examen *m.* examination

examinar to examine

excesivo, –a excessive

exceso *m.* excess

excitación *f.* excitement

excitante *m.* stimulus

exhalar to exhale

exigencia *f.* necessity

exigir to exact, demand

existencia *f.* existence

existente existing

existir to exist

éxito *m.* success

expedición *f.* expedition

expedicionario, –a expedition-
ary

expensa *f.* expense

experiencia *f.* experience

experimentar to experience,
feel

explicación *f.* explanation

explicar to explain

exploración *f.* working (*of
mines, lands*), works

explorar to explore; to examine
carefully

explosivo, –a explosive

exponer to expose

expresar to express, state

expresión *f.* expression

extender to extend, stretch

extinguir to extinguish; to
exhaust

extraer to extract

extrañar to wonder; to seem
strange

extraño, –a strange

extraordinario, –a extraordi-
nary; horas extraordinarias
overtime

extremadamente extremely

extremar to carry to an ex-
treme; to increase greatly

extremo *m.* end

exuberante exuberant

F

fábrica *f.* factory

fabricar to manufacture

fácil easy

facilitar to facilitate; to supply

facón *m.* (*Arg.*) long, sharp-
pointed knife, "dirk"

fachenda *f.* vanity, boasting

faena *f.* task

faja *f.* belt, sash

falda *f.* skirt

faldellín *m.* skirt

falta *f.* lack; fault

faltar to fail; to lack

falto, –a wanting, deficient

fallecer to die, perish

fama *f.* fame, report

familia *f.* family

familiarizar to familiarize

famoso, –a famous

fanfarrón, –na boasting, braggart

fantasía *f.* fancy

fantasma *m.* phantom

fardo *m.* burden, bundle

farol *m.* lantern, light

farolito *m.* little lantern

farolón *m.* large lanterr

fatiga *f.* fatigue

fatigar to fatigue
favorecer to favor
favorito, –a favorite
fe *f.* faith
fecundidad *f.* fecundity; richness of invention
felicitación *f.* congratulation
felino, –a pertaining to a cat; cat-like; *m.* cat
feliz happy
ferocidad *f.* ferocity
feroz ferocious, fierce
férreo, –a of iron, iron
Ferrer (Vicente) *one of the most celebrated evangelists of the Dominican order,* (1335–1419). *He was born in Valencia, educated there, and taught theology in the cathedral of Valencia from 1385 to 1390*
fertilizador, –ra fertilizing
fertilizar to fertilize
festín *m.* feast, banquet
fiar to trust
fiebre *f.* fever
fiel faithful
fielmente faithfully
fiera *f.* wild beast
fiereza *f.* fierceness
fiero, –a fierce, cruel
fiesta *f.* festival, holiday
figurar to figure; **figurarse** to imagine
fijamente fixedly
fijar to fix; **fijarse** to notice

fijo, –a fixed
fila *f.* file, rank, line, row
filiación *f.* description
filón *m.* vein
filtrar to filter; **filtrarse** to pass through
fin *m.* end; **al —, por —** finally; **en —** in short
final final; **al —** in the end
fingir to pretend
fino, –a fine
firma *f.* signature
firme firm
firmemente firmly
firmeza *f.* firmness
físico, –a physical
flaco, –a thin
fletar to charter
flecha *f.* arrow
flojedad *f.* weakness; idleness
flojo, –a slack; feeble, weak; lazy
flor *f.* flower; **a — de** on a level with
flota *f.* fleet
flotante floating, waving
flotar to float
flote, a — afloat; **salir a —** to come to the surface
flotilla *f.* little fleet
fondo *m.* bottom; background
forma *f.* form, shape
formal serious steady
formar to form
formular to formulate
fornido, –a lusty, stout

fortuna *f.* fortune; luck

forzoso, –a necessary

forzudo, –a strong, lusty

fosa *f.* ditch, grave

fosco, –a frowning; stubborn

fosforescencia *f.* phosphorescence

fraile *m.* friar, monk

franja *f.* fringe

fraternal fraternal

frecuencia *f.* frequency

frecuentar to frequent

frecuente frequent

freno *m.* brake

frente *m.* forehead; **al —** ahead; **al — de, — a** in front of; **de —** directly; **— a —** face to face

fresa *f.* strawberry

frescura *f.* freshness, coolness

frío, –a cold

frontera *f.* frontier

fructuoso, –a fruitful

fuego *m.* fire

fuente *f.* fountain, spring

fuera outside (of), out; except for; **— de sí** beside one's self

fuerte strong

fuerza *f.* strength

fuga *f.* flight

fugitivo *m.* fugitive

fulgor *m.* resplendence, brilliancy

fumar to smoke

funda *f.* sheath

fúnebre mournful, sad

furia *f.* fury

furioso, –a furious

fusil *m.* gun

fusilar to shoot

G

Gafarró (*Val.*) *proper name* " Greenfinch "

galante gallant

galera *f.* galley

galería gallery

galope *m.* gallop

gana *f.* inclination, desire

ganancia *f.* gain, earning

ganancioso, –a lucrative; affluent

ganar to gain, earn; to reach

gancho *m.* hook

ganguear to snuffle, speak through the nose

gañán *m.* rustic

garganta *f.* throat

garra *f.* claw

garrapatear to scrawl

garrotazo *m.* blow with a stick

garrucha *f.* pulley

gastar to expend; (*coll.*) " to lay out "

gasto *m.* expense

gata *f.* cat; **a gatas** on all fours

gatear to go on all fours

gatillo *m.* trigger

gatito *m.* kitten

gato *m.* cat; " bait "

gato *an Argentine dance.* (*See note to p. 4, l. 12*)

gaucho *m.* gaucho (*Argentine cowboy*)

gemir to groan

generación *f.* generation; race

generosidad *f.* generosity

geniecillo *m.* (*dim. of genio*) slight temper

gente *f.* people

geranio *m.* geranium

Germanía Brotherhood (*an association of the lower classes to protect themselves against the nobles. During the early years of the reign of Charles V the* **Germanías** *of Valencia and the island of Mallorca rose in rebellion against him*)

gesticular to gesticulate

gesto *m.* face; grimace, gesture

gigante *m.* giant

gigantesco, –a gigantic

gigantón *m. huge images carried through the streets in religious processions. As a rule they precede other images; some say because they represent idolatry fleeing before Christ, others, because they signify strength which humbles itself before the presence of the Lord*

gimiendo (*pres. part. of gemir*) groaning

gimió (*pret. of gemir*) (he) groaned

girar to turn around, spin

glacial glacial, icy

globo *m.* globe, earth

gloria *f.* glory

glorioso, –a glorious

gobernación *f.* government

gobernador *m.* governor

gobernar to govern

gobierno *m.* government

goce *m.* enjoyment

golfo *m.* gulf

golpe *m.* blow, stroke, shot, dash (*of water*); **de golpe** all at once

golpear to strike, beat, hammer

gorda, " la gorda " the " big day " (*of revolution*)

gordo, –a fat

gorra *f.* cap

gota *f.* drop

gozo *m.* joy

gracias *f. pl.* thanks

gramalla *f.* long gown

grande, gran great, large, grand

grandioso, –a grand, magnificent

granel *m.* heap; **a granel** in bulk, in quantities

granuja *m.* rascal, urchin

granujiento, –a pimply

gratitud *f.* gratitude

gratuitamente gratuitously, free

gravedad *f.* gravity

gremial *adj.* of a guild, pertaining to a guild

gremio *m.* guild, society

gris gray

gritar to cry, cry out

grito *m.* shout, cry

grueso, –a thick; fat; heavy

grumete *m.* cabin-boy

gruñido *m.* growl

gruñir to growl, snarl

guanaco *m.* guanaco (*a kind of llama*)

guardamonte *m. Arg.* leather guard (*for the legs*), " chaps "

guardar to guard, keep; to maintain

guardia *f.* guard; *m.* guardsman, guard

Guardia Civil *m.* constable; *f.* constabulary, *a branch of the Spanish army whose duty is the protection of life and property. When on duty they go in pairs for mutual protection and assistance*

guardián *m.* guardian

guarida *f.* lair

guedeja *f.* lock (*of hair*)

Güemes (Martín) *a hero of Argentina's struggle for independence. He died in 1820.*

guerrero *m.* warrior

guiar to guide, lead

guisa *f.* manner

guitarra *f.* guitar

gustar to please

gusto *m.* taste; pleasure

H

haber to have; **hay** there is (are); **hay que** it is necessary to; **no hay que** there is no reason to; **había** there was (were); **Había que verlos** You should have seen them

habilidad *f.* cleverness

habitante *m. and f.* inhabitant

habitar to inhabit, dwell in

habituar to accustom

hablar to speak, talk

hacer to make; to do; to give; to cause, occasion; to compel; — **de** to act as; **hacerse** to become; **hacerse a la mar** to put to sea

hacia towards

hacienda *f.* property; estate

hambre *f.* hunger

harapo *m.* rag; fringe

hasta until, as much as, as far as, even

hay (*See* **haber**)

hazaña *f.* exploit

hecho *m.* fact

hedor *m.* stench

hembra *f.* woman, female

hemisferio *m.* hemisphere

heredar to inherit

herido *m.* wounded man.

hermana *f.* sister

hermano *m.* brother

hermosote, –a comely, handsome

hermosura *f.* beauty

Hernani *protagonist of the famous romantic drama* **Hernani,** *written by Victor Hugo and played for the first time in* 1830. *The name "Hernani" is not that of an historical character but of a village,* `Ernani, *in the province of Guipúzcoa, in northern Spain, visited by Victor Hugo in* 1811.

héroe *m.* hero

heroico, –a heroic

herrumboso, –a rusty

hervir to boil; to seethe

hielo *m.* ice

hierba *f.* herb, grass

hierro *m.* iron

higuera *f.* fig-tree

hija *f.* daughter, child

hijo *m.* son, child

hijito *m.* little son, child

hijuelo *m.* child, little one

hilo *m.* thread; line

himno *m.* hymn

hinchar to swell

hipócrita hypocritical

hipocritón, –a great hypocrite

hirsuto, –a hirsute, full of, or covered with rough hairs

historia *f.* history; tale, fable

histórico, –a historic

hocico *m.* nose (*of animals*), snout

hogar *m.* hearth; home

hoja *f.* leaf

hojalata *f.* tin

hombre *m.* man; **— de bien** honest man

hombrecillo *m.* little man

hombretón *m.* big man

hombro *m.* shoulder

hombrón *m.* big man

honor *m.* honor

honra *f.* honor

honradez *f.* honesty, integrity

honrado, –a honorable

hora *f.* hour, time; **Ya era hora** It was high time

horchata *f. a cooling drink commonly made from almonds or* **chufas** (*cyperns*)

horchatero *m.* vendor of **horchata**

horizonte *m.* horizon

hormiga *f.* ant

hormiguero *m.* ant-hill

horno *m.* oven; baking oven

horquilla *f.* forked stick; rest for a gun

horrendo, –a dreadful

horripilante horrifying

horror *m.* horror, fright

hospitalidad *f.* hospitality

hostia *f.* host, sacred wafer employed in the Mass

hostil hostile

hostilizar to commence hostili-
ties, attack

hueco, –a empty; flaring; hollow; *m.* gap, aperture

huelga *f.* strike

huerta *f.* truck-garden district
(*usually irrigated*)

huerto *m.* orchard

hueso *m.* bone

Hugo, (Víctor) *French romantic
poet, novelist and playwright*
(1802–1885). **Hernani** *is his
most famous play*

huir to flee

humanidad *f.* humanity

humano, –a human

humedad *f.* moisture

húmedo, –a damp, moist

humildad *f.* humility

humilde humble

humo *m.* smoke

hundir to sink; to bury

huracán *m.* hurricane

I

idéntico, –a identical, same

identidad *f.* identity

idilio *m.* idyl, a pastoral poem;
Idilio *proper name*

iglesia *f.* church

ignorante ignorant

ignorar to be ignorant of, not
to know

igual equal, like

igualmente equally; likewise

iluminar to illuminate

ilustre illustrious

imagen *f.* image

imaginación *f.* imagination

imaginar to imagine

imitar to imitate

impaciencia *f.* impatience

impedir to prevent

imperioso, –a imperious, com-
manding

impío, –a profane, godless

implacable implacable, not to
be pacified

imponer to impose

importancia *f.* importance

importante important; **lo —**
the important thing

importar to be important; **no
importa** it does not matter

imposibilitar to make impossible

imposible impossible

impregnar to impregnate, satu-
rate

impresión *f.* impression

impresionar to impress

improvisación *f.* improvising

improvisar to improvise

impulsar to impel

impulso *m.* impulse

inagotable inexhaustible

inalterable unalterable

inaudito, –a unheard of

incapaz incapable

incautarse to take possession

incendiar to set on fire

incendio *m.* fire, burning
incesantemente incessantly
incienso *m.* incense
incitar to incite
inclinar to bend, bow; inclinarse to stoop down
incomprensible incomprehensible
inconcebible inconceivable
incontradecible indisputable
inconveniente *m.* inconvenience.
incorporarse to sit up, straighten up
indefenso, –a defenseless
indemnizar to indemnify
independencia *f.* independence
indicar to indicate
indígena *m. and f.* native
indignación *f.* indignation
indignado, –a indignant
indio, –a Indian
indiscreto, –a indiscreet
indudablemente undoubtedly
indulto *m.* pardon
inesperadamente unexpectedly
inesperado, –a unexpected
inevitable inevitable
inexplicable unexplainable
infancia *f.* infancy
infecto, –a tainted
infeliz unhappy; unfortunate
infestar to infest
infiel *m. or f.* infidel
infierno *m.* inferno, hell
infinito, –a infinite, limitless

influente influential
informe *m.* information, report
infortunio *m.* misfortune
infructuoso, –a fruitless
infundir to infuse; to inspire
ingenio *m.* sugar mill
ingrato, –a ungrateful
ininteligible unintelligible
inmediatamente immediately
inmediato, –a immediate; near-by
inmensidad *f.* immensity
inmenso, –a immense
inmóvil motionless
inmovilidad *f.* immobility
inmutarse to change color
innecesario, –a unnecessary
innumerable innumerable
inquietante disturbing
inquieto, –a uneasy, restless
inquietud *f.* uneasiness
inquilino *m.* tenant
insecto *m.* insect
inseguro, –a insecure, uncertain
insensible insensible; callous
insensibilidad *f.* insensibility
insignificante insignificant
insistir to insist
insoportable unbearable
inspirar to inspire
instantáneamente instantly
instinto *m.* instinct
instituir to institute, establish
instrumento *m.* instrument
intensamente intensely
intenso, –a intense

intentar to try, attempt
intercalar to intercalate, insert
interés *m.* interest
interesante interesting
interiormente inwardly
interminable interminable
interponer to interpose
interrumpir to interrupt
intervalo *m.* interval
intervenir to intervene; to assist
intranquilo, –a restless
intrínseco, –a intrinsic
inundar to inundate, flood
inútil useless
invadir to invade, (*of water*) to cover
invernal wintry
inverso, –a inverse, opposite
invertido, –a inverted
invierno *m.* winter
Iquique *seaport and capital of Tarapacá in northern Chile. Not far from the town are large nitrate deposits.*
ir to go; — a las manos to come to blows; irse to go away; ¡Vamos! Come! Come now!; ¡Vaya! Come! Well!; ¡Vaya una cara! What a face!
irguieron (*pret. of* erguir) they raised, erected
ironía *f.* irony
irónicamente ironically
irrespetuoso, –a disrespectful

irreverencia *f.* irreverence
irritación *f.* irritation
irritar to irritate
isla *f.* island
izar to hoist
izquierdo, –a left

J

jaco *m.* nag, pony
jadeante panting
jadear to pant
jamás never
Japón, El Japan
jardín *m.* garden
jarro *m.* jug; pitcher
jefe *m.* chief; — de tren conductor
jiboso, –a crook-backed; velas jibosas lateen sails (*triangular in shape, common in the Mediterranean*)
jinete *m.* horseman
jornada *f.* day's march
jornal *m.* day's wage, wage
jornalero *m.* day-laborer
José *proper name*
joven young; *m.* young man; *f.* young woman
joya *f.* jewel
juanete *m.* bunion
Juanito *proper name, dim. of* Juan
judiada *f.* inhuman action; sharp dealing
judío, –a Jew

juego *m.* game; gambling
jugador *m.* gambler
jugar to play; to gamble
jugo *m.* sap
juguete *m.* plaything
juguetear to frolic
Junio *m.* June
junta *f.* council; meeting
juntar to gather together
junto, –a together, connected;
— a near
juramento *m.* oath
jurar to swear
justamente just, exactly
justicia *f.* justice; el Justicia
*an ancient magistrate of Va-
lencia who had as a body
guard a company of crossbow-
men* (ballesteros de la pluma)
justo, –a just
juvenil juvenile
juventud *f.* youth
juzgar to judge

L

la the
la, her, to her, it
labio *m.* lip
labrador *m.* farmer
labriego *m.* peasant
lacio, –a flaccid, limp, flat (*as
of hair*)
ladera *f.* declivity
lado *m.* side
ladrar to bark

ladrido *m.* bark (*of a dog*)
ladrillo *m.* brick
ladrón *m.* thief
lago *m.* lake
lágrima *f.* tear
lagrimón *m.* big tear
lamentar to lament; to regret
lámpara *f.* lamp
lana *f.* wool
lanza *f.* lance
lanzar to throw; to utter;
lanzarse to rush, hasten
lápiz *m.* pencil
largar to let go, deliver (*a blow*)
largo, –a long
largueza *f.* liberality
larva *f.* grub, worm
lástima *f.* pity
latigazo *m.* blow of a whip
látigo *m.* whip
latino, –a Latin; vela — lateen
sail (*triangular in shape*)
lazo *m.* noose; (*Amer.*) lasso
le, *pl.* les him, to him, to her,
it, to it; them, to them;
you, to you
lección *f.* lesson
lectura *f.* reading
leer to read
legua *f.* league
lejano, –a distant
lejos far, distant; de — at a
distance
lengua *f.* tongue
lentamente slowly
lentes *m. pl.* eye-glasses

león *m.* lion
letra *f.* letter
levantar to raise
leve light; slight
leyenda *f.* legend
liar to bind; to roll (*a cigarette*)
libación *f.* libation
libertad *f.* liberty
librar to free, save
libre free; unencumbered; **mar**
— open sea
licor *m.* liquor
ligereza *f.* lightness; agility
ligero, –a light; slight
limitar to limit, confine; to
reduce
límite *m.* limit, edge
limosna *f.* alms
limpiar to clean, wipe off
limpieza *f.* cleanness; integrity
lindero *m.* edge, border
linterna *f.* lantern
líquido *m.* liquid
listado, –a striped
listo, –a nimble, quick; ready
litúrgico, –a liturgical
lívido, –a livid
lo it, him, that; — **que,** what;
— ... **que how**
lóbrego, –a obscure; gloomy
locamente crazily, madly
loco, –a crazy; *m. or f.* mad-
man, mad person
locomotora *f.* locomotive
locura *f.* madness
lograr to succeed (in), attain

lomo *m.* back
Lonja de la Seda Silk Exchange
(*that of Valencia was erected
in the fifteenth century*)
losa *f.* flag-stone
lucido, –a (*p. p. of* **lucir**) bril-
liant; magnificent
luciérnaga *f.* fire-fly
lucir to shine
lucha *f.* struggle
luego then; later
lugar *m.* place
lúgubre mournful
lujo *m.* luxury
lustroso, –a shiny, lustrous
luz *f.* light

Ll

llama *f.* flame
llama *m. or f.* llama (*a small
beast of burden of South
America*)
llamar to call, call by name;
— **atención** to attract attention
llanto *m.* weeping
llanura *f.* plain
llegada *f.* arrival
llegar to arrive, reach; **hacer**
— to send
llenar to fill
lleno, –a full
llevar to carry, conduct, bring;
to have; **llevarse** to carry off,
carry out

llorar to weep

lluvia *f.* rain

M

maceta *f.* flower-pot

macizo *m.* bed (*of flowers, shrubs*, etc.)

machacar to pound into small pieces

macho *m.* male animal; mule

madera *f.* wood; timber

madero *m.* beam

madre *f.* mother

Madrid Madrid, *capital of Spain*

madrugada *f.* dawn

madrugar to rise early

maestra *f.* school-teacher

maestro *m.* master; master workman

magistralmente in a masterly manner

magnífico, –a magnificent

majestuoso, –a majestic

majo *m.* braggart

mal badly; ill, sick; *m.* evil, sickness; — de la puna mountain sickness

maldición *f.* curse, malediction

maldito, –a accursed

malestar *m.* uneasiness, ill-being

maleta *f.* hamper, *small basket hung on each side of a llama's back*

malhablado, –a ill-spoken

malhumorado, –a ill-humored, peevish

malicioso, –a malicious; sly

maligno, –a malignant, evil

malo, –a bad, wicked

malvender to sell at a loss

mallorquín, –na native of Mallorca (*an island* 143 *miles east of Valencia*)

mamá *f.* mama, mother

mamarracho *m.* grotesque figure

manada *f.* flock, drove

manar to distill; to drop

manaza *f.* big hand

mancha *f.* spot, streak

Mancha, La *a level, treeless district of central Spain,* 2000 *feet above sea level*

mandato *m.* command

mandíbula *f.* jaw-bone, jaw

manera *f.* manner, way

manga *f.* sleeve

manía *f.* mania

maniobra *f.* manœuvre

manjar *m.* food

mano *f.* hand; irse a las manos to come to blows

manojo *m.* bunch

mansamente meekly

manso, –a meek, tame; agua mansa still water

manta *f.* cloak

mantecadito *m.* (*dim. of* mantecado) little ice cream

mantecado *m.* ice cream

mantener to maintain, keep

manto *m.* mantle

mañana *f.* morning

máquina *f.* machine

mar *m. or f.* sea

maravilloso, –a marvelous

marcha *f.* march, trip; course; speed; **abrir la —** to lead the way

marchar to march, go; **marcharse** to go off, make off

marfil *m.* ivory

marido *m.* husband

marinero *m.* mariner

mas but

más more, most; **cada vez —** more and more; **más bien** rather; **no más** (*S. A.*) simply; please; just; right (*usually adds only emphasis to the phrase or sentence); por — que* however many (much)

masa *f.* mass

mascar to chew

máscara *f.* mask; *m. or f.* masquerader

mascullar to falter in speaking; to mouth

masía (*Cat.*) = **masada** *f.* farm, farm and buildings

mástil *m.* mast

mastín *m. and f.* mastiff

matar to kill; ¡ **mata que mata !** kill and kill again !

mate Paraguayan tea (*made from a kind of holly that grows abundantly in Paraguay*)

matorral *m.* field of brambles, thicket

matrimonio *m.* marriage; marriage couple

maullar to mew

maullido *m.* mew, cry of a cat

mausoleo *m.* mausoleum

mayor greater, greatest, larger, largest; of age

mayoría *f.* majority

mayúscula capital (*letter*)

mecer to rock

mediacaña a South American dance. (*See note to p. 4, l. 12*)

médico *m.* doctor

medio, –a middle, mid; half; *m.* means; **de por —** between, in the question

mediodía *m.* noon; South

medioeval medieval

mejor better, best

melancólicamente sadly

melena *f.* dishevelled lock of hair; mane; pelt

melenudo, –a hairy; with bushy hair

melodía *f.* melody

meloso, –a honeyed

mellado, –a notched, hacked

memoria *f.* memory; **saber de —** to know by heart

mendrugo *m.* crust of bread

menear to move from side to side; to shake

menos less, least; **a lo —** at least; **no puedo — de** I cannot help

mensajero *m.* messenger

mentalmente mentally

mentira *f.* lie, falsehood

menudo, –a small

mercader *m.* merchant

mercancía *f.* merchandise

merecedor, –ra deserving

merecer to deserve

mérito *m.* merit; **hacer méritos** to deserve

mes *m.* month

mesar to tear (*the hair*)

mestiza *f.* half-breed woman

metálico, –a metallic

meter to put, place; **meterse** to interfere

metralla *f.* grape-shot

metro *m.* meter

mezcla *f.* mixture

mezclar to mix, mingle

mezcolanza *f.* strange mixture

mezquino, –a poor; petty

mi, my, mine

mí me

miau meow

miedo *m.* fear

miembro *m.* limb

mientras while

Miguelete *the bell tower of the cathedral of Valencia. It is so called because the bells were first hung on St. Michael's day, September 29, 1238, after the capture of the city from the Moors by Jaime I of Aragón. The strokes of one of the bells regulate the irrigation of the " huerta "*

mil thousand; **Las — y una noches** *The Arabian Nights*

milagro *m.* miracle

milagroso, –a miraculous

minero, –a mining, pertaining to mines; *m.* miner

ministerio ministry; **— de la Gobernación** Department of the Interior

minúscula small (*letter*)

minuto *m.* minute

mío, –a mine, of mine

mirada *f.* glance

mirar to look at, look

mirto *m.* myrtle

misa *f.* mass; **— mayor** high mass

miseria *f.* misery; poverty

misericordia *f.* mercy

mísero, –a miserable

mismo, –a same, very

misterio *m.* mystery

misterioso, –a mysterious

mitad *f.* middle; half; **por la — ** in two, in half

mocetón *m.* sturdy young man

mocoso *m.* urchin

moda *f.* style; **de —** stylish

modelo *m.* model

moderno, –a modern

modo *m.* manner, way

modulación modulation

mojar to wet, moisten

molestar to molest, bother

molestia *f.* trouble, inconvenience

momentáneo, –a momentary

momento *m.* moment; **de un
— a otro** at any moment

monarquía *f.* monarchy

monasterio *m.* monastery

moneda *f.* money; coin; **pequeña —** change

monja *f.* nun

mono *m.* monkey

monólogo *m.* monologue

monótono, –a monotonous

monstruoso, –a monstrous

montaña *f.* mountain

montañés *m.* mountaineer

montar to mount

monte *m.* mountain; wood,
forest

montera *f.* cap; covering

montón *m.* pile, heap

montura *f.* mount, horse

monumento *m.* monument

mordisco *m.* bite

morir to die

morisco, –a Moorish; Moorish
man, woman

morisma *f.* Moorish host

moro, –a Moorish; Moor

morralla *f.* small fry

mortaja *f.* shroud

mortal mortal

mosca *f.* fly

mostaza *f.* mustard

mostrador *m.* counter

mostrar to show

motivo *m.* motive

mover to move; to shake

movimiento *m.* movement

mozo *m.* boy, young man;
porter; **el — mejor plantado**
the best set up young fellow

mu = muy very

muchacho *m.* boy; –a *f.* girl

muchedumbre *f.* crowd

mucho, –a much, many; *adv.*
greatly

mudar to change

mudo, –a mute

muebles *m. pl.* furniture

muelle *m.* wharf

muerte *f.* death

muerto, –a dead

mugriento, –a greasy, dirty

mujer *f.* woman; wife

mula *f.* mule

multicolor many-colored

mundo *m.* world; **todo el —**
everybody

muñidor *m.* beadle

mural mural

murciélago *m.* bat

murmurar to murmur

muro *m.* wall

musa *f.* muse, *one of the god-
desses presiding over poetry,
art and science*

músculo *m.* muscle

música *f.* music; band
muy very

N

nacer to be born
nadar to swim
nadie no one
naranjal *m.* orange grove
naranjo *m.* orange tree
nariz *f.* nose
narrar to narrate, relate
natal native
natural native
naturaleza *f.* nature
náufrago, –a wrecked; *m.* ship-wrecked person
nauseabundo, –a nauseating
navaja *f.* knife
nave *f.* ship
Nazareno *m.* Nazarite (*a Hebrew devotee, one of whose vows was to neither shave nor have a hair cut*)
necesario, –a necessary
necesidad *f.* necessity
necesitado, –a needy
necesitar to need
negar to deny; negarse to refuse
negocio *m.* business
negro, –a black
negruzco, –a dark
nervio *m.* nerve
nervioso, –a nervous
nervudo, –a nervous; sinewy

nevada *f.* snow fall, snow storm
ni nor, neither; not even
nido *m.* nest
nieto *m.* grandchild
nieve *f.* snow
ninguno, –a, ningún not one, none
niñez childhood
niño, –a child
níquel *m.* nickel
nivel *m.* level
nobiliario, –a ancestral
noche *f.* night; de — at night
nodriza *f.* nurse
nombre *m.* name
norte *m.* north
nosotros, –as we, us
notable notable; *m.* prominent man
notar to note, observe
noticia news
novelesco, –a novelistic; romantic
nube *f.* cloud
nubecilla *f.* little cloud
nudo *m.* knot; — corredizo sllp-noose
nuera *f.* daughter-in-law
nuestro, –a our
nueve nine
nuevo, –a new; de — anew
número *m.* number
numeroso, –a numerous
nunca never
nuncio nuncio, papal envoy

nutrición *f.* nutrition
nutrir to nourish, feed

Ñ

ñao meow
ño = señor

O

o or
obedecer to obey
obispo *m.* bishop
objeto *m.* object, article
oblea *f.* wafer
oblicuo, –a oblique, crooked
obligar to oblige
obra *f.* work
obrero *m.* workman
obscurecer to darken; to tarnish
obscuridad *f.* darkness
obscuro, –a dark
obsequiar to serve, to treat (*with drinks*, etc.)
obsequioso, –a obsequious, obliging
obsesionar to obsess
obstáculo *m.* obstacle
obstruir to obstruct, block up
ocasión *f.* occasion; opportunity
ocasionar to cause
océano *m.* ocean
ocultar to hide
oculto, –a hidden

ocupar to occupy
ocurrir to occur, happen
ocho eight
odio *m.* hatred
ofensa *f.* offense
oficial *m.* officer
oficio *m.* work, occupation; craft; **Santo —** the Inquisition
ofrecer to offer
ogro *m.* ogre
oído *m.* ear
oír to hear
ojalá Oh that, Would that
ojazo *m.* large eye
ojeada *f.* glance
ojivo, –a ogival, pointed
ojo *m.* eye; key-hole
ola *f.* wave
oler to smell, scent; **— a** to smell of, savor of; (*fig.*) to seem, appear
olisquear to smell, scent, sniff
oloroso, –a sweet-smelling
olvidar to forget
olvido *m.* forgetfulness
omnipotencia *f.* omnipotence
omnipotente all-powerful
once eleven
ondear to undulate, ripple, wave
ondulación *f.* undulation
ondular to undulate
onza ounce (*coin equivalent to about* $16.00)

operación *f.* operation; — de **crédito** business arrangement
opinión *f.* opinion
oprimir to oppress; to crush, squeeze
opuesto, -a opposite
oquedad *f.* hollow
oración *f.* prayer
Orán *a seaport of Algiers, capital of a department of the same name*
orden *m. or f.* order
organismo *m.* organism
organizador *m.* organizer
organizar to organize
orgullo *m.* pride
orgulloso, -a proud
orientación *f.* orientation
orilla *f.* bank, shore
orlar to border
oro *m.* gold
ortografía *f.* spelling
osar to dare
ostentar to show, display
otro, -a other, another
ovación *f.* ovation
Ovejero *proper name* (*cf.* ovejero shepherd)
oxidar to oxidize

P

paciencia *f.* patience
pacífico, -a peaceful; **el Pacífico** *m.* the Pacific ocean
Pacha Mama *a deity worshipped by some Indian tribes of South America*
padre *m.* father, parent
pae = **padre**
paella *f. a Valencian dish usually composed of rice, meats and vegetables; feast at which it is the principal dish;* (*Cf. American* " barbecue ")
pagar to pay
pago *m.* payment
país *m.* country
paisaje *m.* landscape
paja *f.* straw
palabra *f.* word; **pedir la** — to ask for the floor, ask to be recognized by the chair
palabrería *f.* wordiness
palabrota *f.* ugly word
paletada *f.* shovel-full
pálido, -a pale
palma *f.* palm
palmadita *f.* little slap
palmera *f.* palm-tree
palmo *m.* palm, handbreadth
palo *m.* stick; wood; spar; **a palos** with blows of a stick
palpitación *f.* palpitation
palpitar to palpitate, flicker
pan *m.* bread
pana *f.* corduroy
pánico *m.* panic
pantagruélico, -a monstrous, Garguantuan (*Pantagruel was a giant prince in Rabelais'* " Pantagruel ")

pantalones m. pl. trousers

panza f. paunch; hull (of a ship)

paño m. cloth

pañuelo m. handkerchief; — de hierbas figured handkerchief

papel m. paper; rôle

Paposo, El a small town on the seacoast of Chile, south of Antofagasta

paquete m. package, packet

par m. pair

para for, in order that

paradero m. stopping place; whereabouts (of a person)

parálisis f. paralysis

paralizar to paralyze

parar to stop

parásito m. parasite, sponger

parche m. parchment

parecer to seem, appear

parecido (p. p. of **parecer**) m. resemblance

pared f. wall

pareja f. pair

pariente, -ta relative

parir to give birth, (of cats) to have kittens

parlanchín m. fluent (but idle) talker

parpadear to wink; to twinkle

parpadeo m. winking

párpado m. eyelid

parra f. grape-vine

parte m. part; side; **a todas** —, **en todas** — everywhere; **estar de mi** — to be on my side

partida f. departure

partir to part, divide, split; to depart, start out

pasado m. past

pasamano m. rail

pasar to pass

paseo m. walk, promenade

pasión f. passion

paso m. step; passage, pass; **al** — in passing; **de** — passing by, on one's way; **abrirse** — to make one's way (through); **salir al** — to meet, come to meet

pastor m. shepherd

pastorcillo m. little shepherd

pata f. paw, leg

patada f. kick

patata f. potato

paternal paternal

paternalmente paternally

patio m. patio, courtyard

patriota m. patriot; **muy** — very much of a patriot

patriótico, -a patriotic. loyal

patrón m. patron; patron saint; master of a sailing vessel

pavor m. fear

paz f. peace

peatón m. pedestrian

pechera f. shirt bosom

pecho m. chest, breast

pedazo *m.* piece

pedir to ask; — prestado to borrow

pedrusco *m.* rough stone

pegar to join; to apply closely; — fuego to set fire

peinado *m.* hair; coiffure

pelaje *m.* fur, wool

pelea *f.* quarrel, fight

peligro *m.* danger

peligroso, –a dangerous

pelo *m.* hair

peludo, –a hairy

pellejo *m.* hide, pelt

pena *f.* pain; affliction; uneasiness

penar to suffer

pender to hang

pendiente *adj.* hanging

pendón *m.* standard

penetrar to penetrate

penitenciaría *f.* penitentiary

penosamente painfully

pensamiento *m.* thought

pensar to think, intend; to keep in mind

penumbra *f.* penumbra, partial shadow

peñascazo *m.* blow (*with a rock*)

peñasco *m.* large rock

peor worse, worst

Pepe *dim. of* José

Pepeta *dim. of* Josefa

pequeño, –a small, little

perder to lose

pérdida *f.* loss

perdido, –a (*p. p. of* perder) profligate

perdigón *m.* bird-shot

perdonar to pardon, spare

perecer to perish

pereza *f.* laziness; slowness

perfectamente perfectly

perfil *m.* profile

perfume *m.* perfume

periódico *m.* newspaper

período *m.* period

perjuicio *m.* prejudice; damage, loss

permanecer to remain

permitir to permit, let, allow

pero but

perpetuar to perpetuate

perpetuo, –a perpetual

perro *m.* dog; (*as adj.*) miserable

perseguidor, –ra pursuer

perseguir to pursue

persona *f.* person

personaje *m.* personage

pertenecer to belong to

pertenencia *f.* ownership

perturbar to disturb

Perú, El Peru (*a republic on the west coast of South America, north of Chile*)

perverso, –a perverse, wicked

pervertirse to become perverted

pesado, –a heavy

pesar to weigh

pesar, a — de in spite of; a —

de que in spite of the fact that

pesca *f.* fishing

pescado *m.* fish

pescador *m.* fisherman

pescadote *m.* big fish

pescar to fish; to pull out

pescuezo *m.* neck

peseta *f. Spanish coin (at par it is equivalent to about twenty cents, American money)*

peso weight; peso (*In Argentina the* peso *at par is equivalent to 42 cents American money, and in Chile to 36 cents*)

petaca *f.* hamper

petición *f.* request

pez *m.* fish

piadoso, –a pious

pie *m.* foot; de — on foot, upright

piedad *f.* piety; pity

piedra *f.* rock, stone

piel *f.* skin, hide

pienso *m.* fodder, grain

pierna *f.* leg

pieza *f.* piece; piece of game; room

pillar to pillage; to catch

pillete *m.* urchin

pillo *m.* rascal

pincelada *f.* pencil stroke

pinchar to prick

pintar to paint

pirata *m.* pirate

piso *m.* floor

pistón *m.* piston; ram-rod

Pizarro, (Francisco) *celebrated Spanish captain, conqueror of Peru*

placer *m.* pleasure

plácido, –a placid

planeta *m.* planet

planicie *f.* plain

plantar to plant; to set up; plantarse to arrive soon

plata *f.* silver, money

plataforma *f.* platform

playa *f.* beach

plaza *f.* square; — de armas parade ground; principal square (*of a South American city*)

plazo *m.* time (*of fulfilling anything*)

pleno, –a full; en — invierno in midwinter

pliegue *m.* fold

Plom Rotoplom word suggesting the sound of a drum

plomo *m.* lead; a — perpendicularly, plumb

pluma *f.* feather, plume

población *f.* town

poblado *m.* town

poblar to people; to fill

pobre poor; *m. or f.* poor man, woman

poco, –a little, few

poder to be able, to have power

poder *m.* power

poderosamente powerfully

poderoso, –a powerful

poético, –a poetic

policía *m.* policeman; *f.* police

polilla *f.* moth

pólipo *m.* octopus

político, –a political

polvo *m.* dust

pólvora *f.* powder, gunpowder

pollo *m.* chicken

poncho *m.* poncho (*a cloak, like a blanket, with a slit for the head to pass through. Common in South America*)

poner to put, place; ponerse to put on

popa *f.* stern (*of a ship*)

por by, through, for the sake of, on account of; — más ... que however much (many)

porque because, since

¿ por qué ? why?

portador *m.* bearer

portezuela *f.* little door

posada *f.* inn; lodging

poseedor *m.* owner

poseer to possess

posibilidad *f.* possibility

posta *f.* buck-shot, slug

poste *m.* post

póstumo, –a posthumous

potencia *f.* power

pozo *m.* well; — de San Vicente *a " circle " in Valencia near the center of the city. A well in the middle, now covered by a small building, is said to have belonged to Saint Vincent Ferrer.*

preceder to precede

precio *m.* price

precioso, –a precious

precisamente precisely, exactly

preciso, –a necessary

predicación *f.* preaching

predilección *f.* predilection, propensity

predilecto, –a favorite

predispuesto, –a predisposed, inclined

preferible preferable

preferir to prefer

pregunta *f.* question

premio *m.* reward

preocupación *f.* preoccupation; prejudice

preocupar to preoccupy, worry

preparar to prepare

preparativo *m.* preparation

presa *f.* prey; hacer — to catch a thing securely

presencia *f.* presence

presentar to present

presidio *m.* prison; imprisonment

préstamo *m.* loan

prestar to loan

prestigio *m.* prestige

presuntuoso, –a presumptuous

pretender to pretend; to try

pretensión *f.* claim

pretexto *m.* pretext

primavera *f.* spring

primaveral *adj.* pertaining to spring, spring

primeramente first

primero, –a first

primitivo, –a primitive

principal *adj.* principal, chief

principio *m.* beginning; principle; al — at first

prior *m.* prior, superior of a convent

prisa *f.* haste

proa *f.* prow

probar to try; to prove; to try on

probidad *f.* honesty

problema *m.* problem

procedencia *f.* derivation; locality (*from which a person comes*)

procedente *adj.*, proceeding

procesión *f.* procession (*usually religious*). *In it sacred images are carried through the streets on platforms attended by priests, bands, various organizations with banners, candles, etc. That of Corpus Christi is perhaps the most picturesque in Spain*

proceso *m.* law-suit

procurar to try

prodigioso, –a marvellous

producción *f.* production

producto *m.* product

proeza *f.* prowess, feat

profanar to profane

profecía *f.* prophecy

proferir to pronounce, utter

profesional professional

profundidad *f.* profoundness, depth

profundo, –a profound, deep

progreso *m.* progress

prole *f.* progeny

prolongar to prolong

promesa *f.* promise

prometer to promise

pronto soon; de — suddenly; tan — como as soon as, no sooner . . . than

pronunciación *f.* pronunciation

propenso, –a inclined

propicio, –a propitious

propietario *m.* land-owner, landlord

propio, –a own, proper

proponer to propose

proporcionar to afford, furnish

propuesto (*p. p. of* proponer) proposed

prorrumpir to break forth

prosopopeya *f.* personification; (*coll.*) splendor

protección *f.* protection

protector *m.* protector

proteger to protect

protesta *f.* protest

protestar to protest

protuberancia *f.* protuberance

proveer to provide
Providencia *f.* Providence
provincia *f.* province
provisión *f.* provision; food, stock
proximidad *f.* proximity, vicinity
próximo, –a next; near; **— a** about to
prudencia *f.* prudence
prueba *f.* proof
publicar to publish
público, –a public
pucha (*Arg.*) *an exclamation of astonishment or surprise*
puchero *m.* earthern pot
pudrir to rot
pueblecillo *m.* little town
pueblecito *m.* little town
pueblo *m.* town; people
pueril puerile, childish
puerta *f.* door, gate
puertecillo *m.* little port
puerto *m.* port
pues since, well, then; **— bien** well then
puesto (*p. p. of* **poner**) *m.* post, position
pugnar to fight, to strive
pulmón *m.* lung
pulmonía *f.* pneumonia
pulpería *f.* (*S. A.*) general provision store (*having on sale, among other things, liquor*)
pulso *m.* pulse; steadiness of hand

puma *m.* puma, South American panther
puna *f.* (*S. A.*) barren highland
punta *f.* point, tip; point, headland
punteado *m.* thrumming (*of a guitar*)
puntiagudo, –a sharp-pointed
punto *m.* point
puntualmente punctually
puñado *m.* handful
puñalada *f.* knife thrust
puñetazo *m.* blow with the fist
puño *m.* fist
pupila *f.* pupil (*of eye*)
pureza *f.* purity
Purgatorio *m.* Purgatory
puro, –a pure, unadulterated
púrpura *f.* purple

Q

que which, who, whom, that; **el —** that which, he who
qué (¿ **qué** ?) what, what a; ¡ **— de aventuras** ! how many adventures!
quebrada *f.* ravine; pass
quebrantar to break; to weaken
quedar (**se**) to be left, remain; **quedarse con** to keep
quejarse to complain
quemadura *f.* burn
quemar to burn, scorch
querer to wish; to like, to be willing

querido, –a beloved, dear

¡ quia! (interj. of denial)

Quico fam. for Francisco

quien who, the one who

quijada f. jaw

quince fifteen

quintuplicado, –a fivefold

quitar to take away, take off

R

rabiosamente furiously, madly

rabo m. tail

ración f. ration, portion

rac-rac word imitating the croaking of frogs

ráfaga f. gust of wind

raíz f. root; a — de shortly after

rajar to split

rana f. frog

rancho m. hut

rápido, –a rapid

rapiña f. rapine, robbery

rapto m. kidnapping, abduction

raquítico, –a rickety, sickly

rarefacción f. rarefaction

ras m. level

rasgar to tear asunder, rend

rasgo m. trace, stroke.

rastra f. dragging

rastro, m. trace, track

rata f. rat

ratero m. petty thief

rato m. short space of time,

moment; al poco — in a short time

rayado, –a striped

rayo m. thunderbolt

razón f. reason; tener — to be right

razonar to reason

reaccionario, –a reactionary

real real; m. real (one-fourth of a peseta)

realidad f. reality.

realizar to realize, bring into being, perform, carry out

reanudar to resume

reaparecer to reappear

rebaño m. flock

rebelarse to rebel

rebelde rebellious

reblandecer to soften

rebuscar to seek again

recalcar to emphasize

receloso, –a distrustful, suspicious

recibir to receive

recibo m. receipt

recién recently

reclamar to reclaim, demand; to make complaint

recobrar to recover

recoger to gather up

recomendar to recommend

reconocer to recognize

recordar to recall, remember

recordóns (a Valencian oath, strengthened here by re-)

recortar to cut away; to outline

Recristo (*an oath, strengthened here by the prefix* re-) " By the Lord Harry "

recto, –a straight, right

recua *f.* drove of beasts

recuerdo *m.* recollection, memory

recurso *m.* resource

rechinar to creak; *m.* creaking

red *f.* net; rack

redacción *f.* compiling, drawing up

rédito *m.* rent; accrued interest

redoblar to double

redoble *m.* double beat of a drum

redondo, –a round

reducido, –a narrow, close

refalosa *f. a South American dance.* (*See note to p. 4, l. 12*)

reflejar to reflect

reflejo *m.* reflection

refrescante refreshing

refrescar to refresh, cool off

refresco *m.* refreshment

refugiarse to take refuge

refugio *m.* refuge

regar to irrigate, water

regatear to haggle

regidor *m.* magistrate

regimiento *m.* regiment

registrar to inspect, search, examine

regodearse to rejoice, make merry

regresar to return

regreso *m.* return

reguero *m.* rivulet; mark

reina *f.* queen

reinar to reign

reír to laugh.

reja *f.* grating

rejuvenecer to grow young again

relación *f.* report, account; recitation

relámpago *m.* flash of lightning

relatar to relate

relato *m.* narration, account

religioso, –a religious

reliquia *f.* sacred relic

reluciente shining

remate *m.* end; border, fringe

remedio *m.* remedy; ¡ qué —! What can (could) be done! How can (could) it be done!

remendar to patch, mend

remesa *f.* remittance; shipment

remo *m.* oar

remojar to steep, soak often

remojón *m.* soaking

remolacha *f.* beet

remolcar to tow

remolienda *f.* (*Chil.*) rough festivity

remolino *m.* whirlwind; whirlpool; throng

remolque *m.* towing; **a** — in tow

remontar to raise, hoist; **remontarse** to rise, go up

remoto, –a remote

removerse to move

renacer to be born **again**, spring up again

rendido, –a overcome

renunciar to renounce

repasar to repass; to **review**

repeler to repel; to reject

repente, de — suddenly

repentinamente suddenly

repentino, –a sudden

repetir to repeat

repiquetear to peal, to play (*castanets*)

repleto, –a replete, very full

representante *m.* representative

representar to represent

república *f.* republic

repuesto *m.* depository; **de —** spare, extra

reputación *f.* reputation

requerir to notify; to **examine**

resbalar to slip, glide

reservar to reserve

resguardar to shelter

resguardo *m.* guard; **shelter**

residencia *f.* residence

resignado, –a resigned

resistencia *f.* resistance, opposition

resistir to resist

resolver to resolve, determine; to solve

resonar to resound

respetable respectable

respetar to respect

respeto *m.* respect

respetuoso, –a respectful

respirable breathable

respiración *f.* breath.

respirar to breathe

resplandor *m.* splendor, brightness

responder to answer

respuesta *f.* reply

resquebrajar to crack, split

restante *adj.* remaining; *m.* remainder

resuelto, –a (*p. p. of* **resolver**) resolute

resultar to result, to be (*as a consequence*), come to be; to remain

retaco *m.* fowling-piece

retardar to retard, defer

retintín *m.* tinkling

retirada *f.* retreat; **cerrar la —** to close in behind

retirar to retire; to take **away**

retorcido, –a twisted

retrasar to delay

retraso *m.* delay

retrato *m.* picture

retroceder to draw back, go back

retumbar to resound

reunión *f.* gathering

reunir to gather together, meet

revelador *m.* revealer

revelar to reveal

reventar to burst, burst open

reverencia *f.* reverence; bow

reverendo, –a reverend

reverente reverent

revolcarse to writhe

revoltear to flutter, hover

revoltijo *m.* medley, jumble

revolucionario, –a revolutionary

revolverse to turn

revuelta *f.* revolt; turn (*of a road*)

revuelto, –a mixed up

rey *m.* king

rezar to pray, say prayers

ribazo *m.* bank

ricamente richly; splendidly

rico, –a rich

riego *m.* irrigation, watering (*of plants*, etc.)

riesgo *m.* risk

rígido, –a rigid

rincón *m.* corner

riña *f.* quarrel

río *m.* river

riqueza *f.* riches

risa *f.* laugh

ristra *f.* string; file, series

rítmico, –a rythmic

ritmo *m.* rhythm

rivalidad *f.* rivalry

rizar to curl; to plait (*a dress*); vela rizada fancy candle

robar to rob

robo *m.* robbery

roca *f.* rock, stone

rodar to roll

rodear to encompass, surround

roder *m.* (*Val.*) outlaw, fugitive from justice

rodilla *f.* knee; de —s on one's knees

roer to gnaw

rogar to request, beg

rojizo, –a reddish

rojo, –a red

romance *m.* ballad

romántico, –a romantic

rollizo, –a chubby

rollo *m.* roll, coil

romo, –a blunt

roncar to snore

ronco, –a hoarse

rondar to go around by night

rosa *f.* rose

Rosalindo *proper name made up from Rosalind, the name of the heroine of Shakespeare's* " As You Like It "

rosario *m.* rosary, string of beads; (*fig.*) string

rostro *m.* face

roto, –a (*p. p. of* **romper**) broken, torn, ragged; *m.* (*Chil.*) a man of the lower class

rovel *a kind of fish, about a foot long, used as food; and, cut up, as bait. It is light green with a yellowish spot on its side.*

rozamiento *m.* slight touch, grazing

rozar to graze, touch lightly

rudamente roughly

rudeza *f.* roughness; stupidity

rudo, –a rude, rough

rueda *f.* wheel

rueda (*pres. of* **rodar**) it rolls

Rufina *proper name, dim. of* Serafina

rugido *m.* roar

rugir to roar

rugoso, –a wrinkled

ruido *m.* noise

ruina *f.* ruin

rumbo *m.* road, route; **echar** — to set out, start off

rumboso, –a liberal

rumiante *m. or f.* an animal that chews the cud

rumor *m.* sound; rumor

rústico, –a rustic

ruta *f.* route

Ruzafa *a suburb of Valencia, southeast of the city*

S

sábado *m.* Saturday

sábana *f.* sheet

saber to know, to know about

sacar to draw out, draw forth

sacerdote *m.* priest

saco *m.* bag, sack

sacrificio *m.* sacrifice

sacrilegio *m.* sacrilege

sacudir to shake, shake off

sagrado, –a sacred

saliente salient, projecting

salida *f.* departure

salir to go out, come out, come

salitre *m.* nitrate

salitrero, –a of, or pertaining to nitrate

salitrera *f.* nitrate deposit

Salta *a city in northwest Argentina, capital of a province of the same name*

saltar to jump, leap, frisk about

salteador *m.* highwayman

salteño, –a native of Salta

salto *m.* jump

salud *f.* health; salvation

saludar to salute, greet, nod to

saludo *m.* greeting

salvación *f.* salvation

salvaje wild, savage; *m.* wild man, savage

salvar to save; to pass over, cross

sangre *f.* blood

sangriento, –a bloody

sanguinolento, –a bloody; blood-shot

sano, –a healthy, wholesome

San Sebastián *the most fashionable seaside resort in Spain. It is situated on the Bay of Biscay twelve miles from the French frontier*

Santiago *the capital of Chile, 68 miles from Valparaiso* santísimo, –a most holy

santo, –a holy; *m.* saint

sapo *m.* toad

saqueo *m.* pillage, plunder

sarta *f.* string (*of beads*, etc.)

sartén *m.* frying pan

satélite *m.* satellite

satisfacción *f.* satisfaction

satisfacer to satisfy

secar to dry

seco, –a dry

secundario, –a secondary

sed *f.* thirst

seda *f.* silk

sedimento *m.* sediment

sedoso, –a silky

segador *m.* reaper, harvester

segar to saw, cut

Segorbe *a small town about* 37 *miles from Valencia*

seguida, en — immediately

seguir to follow; to continue

según according to, as

segundo, –a second, *m.* second

seguramente surely

seguridad *f.* security; assurance

seguro, –a sure; de — surely

seis six

semana *f.* week

semejante similar, like

sencillo, –a simple

senda *f.* path

sendero *m.* path

sentarse to sit down

sentencia *f.* sentence

sentido *m.* sense

sentimental sentimental, emotional

sentir to feel; to be sorry

Sènto *proper name, contraction of* Vicente

señal *m.* sign, mark

señalar to point out

señera (*Val.*) = señora

señor sir; lord, master

señora lady; Mrs.

señorita young lady, Miss

señorito master

señorón great man

separar to separate

sepulcro *m.* sepulchre, tomb

sepultar to bury

sepultura *f.* grave

ser to be; a no — que unless

ser *m.* being

serenidad *f.* serenity

sereno, –a serene, calm

servir to serve, be of use; — de to serve as

sesenta sixty

setenta seventy

severo, –a severe

sexo *m.* sex

si if; indeed

sí self, himself, herself

sí yes; indeed

siempre always; — que every time that

sierra *f.* saw; mountain range

siete seven

siglo *m.* century

significar to signify, mean

Sigró (*Val.*) *proper name,* " Chick-Pea "

siguiente following

silencioso, –a silent

silueta *f.* silhouette

silla *f.* chair; — de montar saddle

sillar *m.* hewn stone

simpático, –a sympathetic; agreeable

sin without

sino but

siñor = señor

sitio *m.* place

situar to situate

sobre on, upon, above

sobrenatural supernatural

sobrepasar to pass beyond

sobresaltar to frighten

sofá *m.* sofa

sofocar to suffocate

sol *m.* sun; en pleno — in full sunlight

solamente only

soldado *m.* soldier

soldar to solder

soledad *f.* solitude

solemne solemn

solemnidad *f.* solemnity

solicitar to solicit, seek

solidificar to solidify

sólido, –a solid, strong

solitario, –a solitary; *m.* recluse

solo, –a alone, single; sólo *adv.* only

soltar to set at liberty, let go, deliver

sombra *f.* shadow, shade

sombrerito *m.* small hat

sombrero *m.* hat

sombrilla *f.* parasol

somnolencia *f.* sleepiness

son *m.* sound

sonámbulo *m.* somnambulist

sonar to sound

sonido *m.* sound

sonoridad *f.* sonorousness

sonoro, –a sonorous

sonreír to smile

sonrisa *f.* smile

sonrosado, –a reddish

soñar to dream; — con to dream of

soplar to blow

soplo *m.* blast, puff of wind, breath

soportal *m.* portico

sordo, –a deaf

sorprender to surprise

sorpresa *f.* surprise

sospecha *f.* suspicion

sostén *m.* support

sostener to sustain, hold, hold up

sotana *f.* cassock, priest's garment

su his, her, their, its, your

suave soft

suavemente softly

subir to go up, climb up, come up

sublevar to rise in rebellion
subsistir to subsist
suceder to happen
suceso *m.* happening
sucio, –a dirty; low
sudar to sweat
sudor *m.* sweat
sudoroso, –a sweaty
suelo *m.* ground, soil
suelto, –a (*p. p. of* soltar) loose; alone
sueño *m.* sleep, dream
suerte *f.* fate, luck; kind, sort, manner; suertes feats, tricks
suficiente sufficient
sufrir to suffer, undergo
sujetar to hold
sultán *m.* sultan
suma *f.* sum
sumido, –a (*p. p. of* sumir) sunk, buried, overwhelmed
sumir to plunge, bury; sumirse to sink, be swallowed up
sumisión *f.* submission
superficie *f.* surface
superfluo, –a superfluous
superior superior
superstitión *f.* supersticion
supersticiosamente superstitiously
supersticioso, –a superstitious
superviviente *m. or f.* survivor
suplicio *m.* torment, torture
suprimir to suppress; to destroy

sur *m.* south
surco *m.* furrow
surgir to appear, present itself
suspender to suspend
suspenso, –a suspended; en — in abeyance
suspiro *m.* sigh
sustento *m.* food; support
sustitución *f.* substitution
suyo, –a his, hers, its, theirs, yours; un hermano — a brother of his; lo — his property

T

taberna *f.* tavern
tabique *m.* partition
taco *m.* wadding
tal such, such a; el — ... the said ...
talar to desolate
talco *m.* mica
talón *m.* heel
tallar to cut, carve
talle *f.* body, frame
taller *m.* work-shop
tamaño, –a as large, equally large; *m.* size
tambalear to stagger
también also, too
tambor *m.* drum; drummer
tamborilero *m.* drummer
tampoco neither, either
tanto, –a so much, as many; mientras — in the meantime

tañer to play (*an instrument*)

tapa *f.* cover

tapia *f.* mud wall

tapiz *m.* tapestry

tardanza *f.* delay

tardar to be late, to delay, to be slow

tarde *f.* afternoon; *adv.* late

Tarija *a town in southeastern Bolivia near the Chaco region*

tartana *f. a long covered wagon with two wheels*

tartanero *m.* driver of a **tartana**

tatarabuelo *m.* great-great-grandfather

Tata Coquena *a deity worshipped by certain tribes of Indians in South America*

te you, to you

techumbre *f.* roof

tedio *m.* boredom, weariness; weary moments

telaraña *f.* cobweb

telegráfico, –a telegraphic

temblar to tremble

temblor *m.* trembling; — del suelo slight earthquake

tembloroso, –a trembling

temer to fear

temeroso, –a fearful

temible dreadful

temperatura *f.* temperature

tempestad *f.* storm, tempest

temple *m.* disposition

templo *m.* temple, church

temporada *f.* season

temprano, –a early

tenazas *f. pl.* pincers

tender to stretch; to hold out, hold forth

tendero *m.* shop-keeper

tener to have, hold; — por to consider; — que to have to, must

tenería *f.* tannery

teniente *m.* lieutenant

tentáculo *m.* tentacle

teñir to tinge, dye

tercero, –a third

tercio *m.* regiment of infantry

terciopelo *m.* velvet

tergiversación *f.* evasion

terminación *f.* termination, conclusion

terminar to end, terminate, conclude

término *m.* end

ternura *f.* tenderness

terreno *m.* land, country

terrestre earthly

terrible terrible, dreadful

terrón *m.* clod; piece of land

terror *m.* terror

terrorífico, –a terrifying

terroso, –a earthly

testarudo, –a obstinate, stubborn

tez *f.* complexion

tibio, –a luke-warm

tiempo *m.* time; buen — good weather

tienda *f.* store

tientas, a — groping, fumbling

tierra *f.* land, country

tigre *m.* tiger

timbre *m.* bell

timón *m.* helm, rudder

tina *f.* vat

tinaja *f.* large earthern jar

tinte *m.* tint, color

tiñeron (*pret. of* **teñir**) they dyed

tío *m.* uncle; (*fam.*) rustic

tirador *m.* marksman

tirante taut

tirar to pull; to shoot; to direct; to deliver (*blows*)

tiro *m.* shot

tirón *m.* pull, tug

tocar to touch; to play (*an instrument*)

todavía still, yet

todo, –a all

todopoderoso, –a all-powerful

tolerar to tolerate, permit

tomar to take; to acquire

tonel *m.* cask

tono *m.* tone

tontería *f.* foolishness

topográfico, –a topographic

torbellino *m.* whirlwind

torcer to twist; — **el gesto** to make a wry face

torcido, –a twisted; fluted

tormento *m.* torment

tornar to turn; **tornarse** to become

torno, en — **de** around

torpe slow, dull

torpeza *f.* heaviness; slowness

torre *f.* tower; **Torres de Serranos** *two medieval towers forming the old north gate of the city of Valencia*

Torreblanca *a city* 65 *miles to the north of Valencia and near the seacoast*

tortilla *f.* omelet

tortura *f.* torture

tostar to toast

tozudo, –a stubborn

trabajador *m.* workman

trabajar to work

trabajo *m.* work

trabucazo *m.* shot (*of a blunderbuss*)

trabuco *m.* blunderbuss

tradición *f.* tradition

tradicional traditional

traer to bring, carry

tragar to swallow

trágico, –a tragic

trago *m.* swallow

traje *m.* dress, garment

tralla *f.* lash, whip

trampa *f.* fraud, deceit

trance *m.* peril; critical moment

tranquilamente, tranquilly, peacefully

tranquilidad *f.* tranquillity, peace of mind

tranquilizar to quiet, appease

tranquilo, –a tranquil, in peace

transcurrir to transpire, pass

transformar to transform, change

transmitir to transmit

traqueteo *m.* shaking

tras behind, after

trasero, –a hind, rear

trasnochar to sit up all night

tratamiento *m.* treatment; title of courtesy

tratar to treat; — de to call, give title of courtesy; to try to; tratarse de to be a question of

través, a — de through

travesía *f.* crossing

trazar to trace

treinta thirty

tremendo, –a tremendous, terrible

tren *m.* train; — correo mail train

trepar to climb

tres three

trescientos, –as three hundred

triángulo *m.* triangle

tricornio a three-cornered hat (*worn by the Guardia Civil*)

trinchera *f.* trench

tripulante *m.* member of the crew of a ship

triste sad; *m. poetic composition sung by "gauchos" to the accompaniment of the guitar*

tristemente sadly

triunfar to triumph

triunfo *m.* triumph; *a South American dance. (See note to p. 4. l. 12.)*

trocarse to be changed

trofeo *m.* trophy

tromba *f.* whirlwind

tropel *m.* troop

tropezar to stumble; — con to meet accidentally

trotar to trot; to move quickly

trote *m.* trot

trueno *m.* thunder, clap of thunder; loud noise

tú you

Tucumán *province of northern Argentina (Its capital has the same name)*

tumba *f.* tomb

tumbar to tumble; (*coll.*) to kill

tumbo *m.* tumble; dar tumbos to jounce

tuno *m.* loiterer, " bum "

turbar to disturb

turbio, –a muddy, troubled

turco, –a Turkish; *m. or f.* Turk

turno *m.* turn

U

ubre *f.* udder

último, –a last

únicamente only

único, –a only

uniforme *m.* uniform
unir to unite
uno, –a one; **unos** some; **unos cuantos** some, a good many
urbanidad *f.* urbanity, politeness
urgente urgent
urgir to be urgent
urna *f.* urn
usanza *f.* usage, custom
usar to use
usted you

V

vaca *f.* cow
vacilación hesitation
vacío, –a empty, vacant
vagabundo *m.* vagabond
vagar to wander
vagón *m.* railway coach
vaho *m.* vapor
vaivén *m.* vibration; alternating movement
Valencia *a Mediterranean seaport of Spain, capital of the province of Valencia*
valenciano, –a Valencian
valer to be worth, be of avail
valerosamente valiantly
valiente valiant, strong, brave; (*coll.*) great, fine
valioso, –a valuable
valor *m.* valor; value
vals *m.* waltz

valle *m.* valley
vanidad *f.* vanity
vano, –a vain
vapor *m.* steam; steamboat
varal *m.* long pole
varios, –as various
varón *m.* man
vasija *f.* vessel
vaso *m.* glass
vaya (*subj. of* ir) go
vecindad *f.* vicinity, neighborhood
vecino, –a neighboring; *m. or f.* neighbor, inhabitant
vedija *f.* tuft
vega *f.* plain
vegetal *adj.* vegetable
vehemente vehement; keen
veinte twenty
vejete *m.* old man
vejez *f.* old age
vela *f.* sail; candle
velero, –a swift-sailing; *m.* sailing vessel
velo *m.* veil, shade (*of a lamp*)
velocidad *f.* speed; **a toda —** at full speed
velloso, –a hairy
vencer to conquer, surpass
vender to sell
veneno *m.* poison; **— puro** rank poison
venerable venerable
venerar to venerate
vengar to avenge; **vengarse** to take revenge

vengativo, –a revengeful, vindictive

venir to come

ventaja *f.* advantage; odds

ventana *f.* window

ventanilla *f.* little window

ventrudo, –a big-bellied

ver to see; ¡ **Vamos a —!, ¡ A —!** Let's see; **Había que —** You should have seen, It was worth seeing

veraneante *m. or f.* summer visitor

veraneo *m.* **gente de —** " summer people "

verano *m.* summer

veras *f. pl.* reality; **de —** in truth, really

verdadero, –a true

verde green; off-color, smutty

verdoso, –a greenish

vergüenza *f.* shame, disgrace

verídico, –a veridical, truthtelling

verificar to verify; **verificarse** to take place

verosímil likely

vertical vertical

verticalmente vertically, upright

vertiente *m. or f.* slope

vestido *m.* dress

vestigio *m.* vestige, trace)

vestir to dress

veteado, –a veined

vez *f.* time, occasion; **a la —** at the same time; **otra —** again; **tal —** perhaps

vía *f.* way, route; track; **— férrea** railroad

viajar to travel

viaje *m.* journey; **— de ida** trip down, trip to a place; **— de vuelta** return trip

viajecito *m.* little trip

viajero *m.* traveller

viandante *m.* traveller

vibrar to vibrate

Vicente *proper name*

vicio *m.* vice

víctima *f.* victim

vida *f.* life

viejo, –a old

viento *m.* wind

vientre *f.* abdomen, stomach

vigilancia *f.* vigilance

vigorosamente vigorously

vino *m.* wine

violencia *f.* violence

violento, –a violent

virar to tack, put about

virtud *f.* virtue; efficacy; power

viscoso, –a viscid, sticky

visión *f.* vision

visita *f.* visit

vista *f.* sight, view

vistoso, –a showy

vitualla *f.* victuals, provisions

viuda *f.* widow

víveres *m. pl.* provisions

vivienda *f.* habitation

viviente *adj.* living

vivir to live

vivo, –a alive, living; lively

volante *m.* flounce

voltear to revolve, to turn over; to peal (*of bells*)

voluntad *f.* will; **de buena —** willing

voluptuosamente voluptuously

voluptuosidad *f.* voluptuousness

voluptuoso, –a voluptuous

volver to turn, make turns; to return; **— a** to (do) again

voto *m.* vow; **¡Voto a ...** By ... !

voz *f.* voice

vozarrón *m.* loud voice

vuelta *f.* return; turn

Y

y and

ya now, already; finally

yermo, –a waste, uninhabited; without vegetation; *m.* desert

yerto, –a stiff

yo I

Z

zamacueca *f. a Chilean dance.* (*See note to p. 4, l.12*)

zamarra *f.* shepherd's dress (*of sheepskin*)

zarandear to shake, toss about

zarpa *f.* claw

zarpada *f.* clawing

Zobeida Zobeide or Zubeydeh, *a character in the " Arabian Nights"* (**Mil y una noches**). *She appears in the " Story of the Sultan's Steward."*

zorrero, –a slow; large (*applied to shot*)

zozobra *f.* anguish, anxiety

zozobrar to sink, capsize

zumbón, –na waggish

zumo *m.* juice

Zurbarán (**Francisco de**) *a Spanish painter* (1598–1662). *His subjects were largely of a severe and ascetic sort.*

zurrar to pound